Pedwar

Lleucu Roberts

y Lolfa

Hoffai'r Lolfa ddiolch i:
Mairwen Prys Jones
Huw Vaughan Hughes o Ysgol Bro Morgannwg
Mererid Llwyd o Ysgol Glan y Môr
a Gwenno Wyn o Ysgol Gyfun Ddwyieithog y Preseli
Hefyd, diolch i'r holl ddisgyblion o ysgolion Gwynllyw, Llangefni, Morgan Llwyd a Phenweddig am eu sylwadau gwerthfawr.

Argraffiad cyntaf: 2013

Comisiynwyd y gyfrol hon gyda chymorth ariannol
Adran AdAS Llywodraeth Cymru

Golygyddion cyfres Mellt:
Meleri Wyn James a Meinir Wyn Edwards

Portreadau a chynllun y clawr: Teresa Jenellen

Rhif Llyfr Rhyngwladol: 978 1 84771 648 4

Cyhoeddwyd ac argraffwyd yng Nghymru
gan Y Lolfa Cyf., Talybont, Ceredigion SY24 5HE
gwefan www.ylolfa.com
e-bost ylolfa@ylolfa.com
ffôn 01970 832 304
ffacs 832 782

I 'mhedwar i

MAGS

14 oed

Yr hynaf o'r pedwar. Gallai dreulio'i hamser i gyd yn siarad ar y ffôn neu'n coluro – neu'n siarad ar y ffôn a choluro 'run pryd.

ARI

13 oed

Fe yw'r un sy'n cadw Soch y mochyn, Bwch yr afr a'r ieir yn fyw. Fe hefyd sy'n ceisio cadw'r teulu bach gyda'i gilydd. Lowri drws nesa yw ei ffrind gorau yn y byd i gyd, ond mae yna lawer o bethau nad yw'n mentro eu rhannu â hi hyd yn oed.

NEL

10 oed

Mae'n gallu actio'n ddiniwed pan fo angen. Does dim ofn arni ddweud ei dweud yn groch chwaith. Mae'n dwli ar bob math o anifail dof a gwyllt – heblaw Cai, ei brawd bach, sy'n gwneud ei bywyd yn boen.

CAI

8 oed

Anifail gwyllt a diawl bach mewn croen. Os oes trwbwl, mae Cai yn ei ganol, ac os nad oes trwbwl – fydd hi ddim yn hir cyn i Cai ddod o hyd i beth...

1

'Jaaaaaawl!' sgrechiodd Nel ar ôl i'r tun cawl tomato ei tharo'n glatsh ar ei thrwyn.

Cai oedd wedi'i daflu ati, wrth gwrs, ac roedd e wedi diflannu gan gario powlennaid o rawnfwyd cyn i'r gwaed ddechrau llifo o drwyn ei chwaer. Am unwaith, wnaeth Ari ddim rhuthro i geisio cadw'r ddysgl yn wastad rhwng ei frawd a'i chwaer iau. Roedd e wedi cael llond bol ar y cweryla di-ben-draw rhwng Cai a Nel.

Aeth Ari allan i haul y prynhawn yn lle ceisio cadw'r heddwch, a gadael Nel i sgrechian. Câi Mags ddelio â'r argyfwng y tro hwn, barnodd Ari. Hi oedd yr hyna o'r pedwar ohonyn nhw. Doedd hi ddim yn deg mai fe oedd bob amser yn gorfod plismona ei frawd a'i chwaer iau, ac yntau ond newydd droi'n dair ar ddeg ei hun.

Eisteddodd Ari ar y wal garreg rhwng lle roedd yr afr yn byw a lle roedd yr ieir yn pigo. Doedd dim golwg o'r ieir, ond roedd yr afr yn bwyta hen fatres gwely babi rhacs (y matres gwely oedd yn rhacs, ddim y babi: doedd dim babi wedi bod yng Nghoed Helyg ers amser).

Pendronodd Ari dros ddiflaniad yr ieir. Os oedd cadno wedi'u cael yn bryd o fwyd, o ble oedden nhw'n mynd i gael wyau? Doedd fawr o obaith y byddai'r afr yn dechrau dodwy. Stwff diflas oedd ei llaeth fel oedd hi, ac roedd y syniad o orfod byw ar hwnnw yn troi stumog Ari.

Ciciodd ei sawdl yn galed yn erbyn y wal oddi tano

nes i wayw o boen saethu drwy ei goes: roedd yn rhaid i bethau newid.

Doedd ei fam ddim wedi bod adre ers tair noson ac roedd hynny'n hirach na'r un tro o'r blaen. Allai Ari ddim cofio sawl gwaith roedd hi wedi glanio adre yn ystod y diwrnod a ddilynai 'noson fawr', a golwg fel pe bai'n diodde arni. Unwaith yn unig yr aeth hi'n ddwy noson arni cyn dod i'r golwg, a byddai wythnos neu ddwy'n pasio wedyn cyn ei bod hi'n llithro 'nôl i'w hen arferion unwaith eto a chael ei denu i lawr i dafarnau'r dre.

Roedd ei fam byth a hefyd yn addo troi dalen newydd. Ofnai Ari fod tri diwrnod o yfed – *o leia* tri diwrnod – a hynny heb ddod adre yn 'droi dalen newydd' i'r cyfeiriad anghywir.

'Damo, damo, damo!' gwaeddodd Ari ar yr afr. Bwch oedd ei henw ac oedd, roedd yr enw braidd yn gamarweiniol. Edrychodd Bwch yn ôl arno fel – wel, fel bwch. Yna cododd Ari a mynd i'r tŷ i weld pa mor ddrwg oedd y niwed i drwyn ei chwaer fach. Roedd Mags wedi llwyddo i ddatgysylltu'i hun o'i ffôn yn ddigon hir i fynd draw i weld beth oedd achos yr holl sŵn, ond roedd wedi achosi mwy o boen i Nel drwy dynnu ei bys ar hyd trwyn ei chwaer fach i wneud yn siŵr nad oedd e wedi torri.

'Awawawaw!' sgrechiodd Nel, ond ychydig bach yn llai swnllyd na phan darodd y tun ei thrwyn hi. Barnodd Ari felly nad oedd hi wedi'i dorri wedi'r cyfan.

'Cadwa o'i ffordd e,' cynghorodd Ari hi'n ddoeth, ar ôl chwilio drwy'r tŷ am Cai. Doedd dim golwg o'r diawl bach drwg yn unman. Byddai wedi hen ddiflannu bellach, meddyliodd Ari. Ei dric arferol oedd dianc i ben pella'r cae o dan y tŷ lle byddai'r tyfiant gwyllt yn ei guddio'n ddigon hir i Ari a Mags anghofio am ei drosedd ddiweddara.

'Moyn gweddill y Corn Flakes oedd e.' Ceisiodd Nel gyfiawnhau ei rhan hi yn y ffrae oedd wedi arwain at y trwyn gwaed. 'A wedes i taw fi oedd fod i gael e achos ges i ddim brecwast na chinio, dim ond wy.'

Cofiodd Ari nad oedd e wedi gallu rhoi dim byd ond wy wedi'i ferwi ym mocs bwyd Nel y bore hwnnw am nad oedd fawr ddim byd arall yn y tŷ.

'A dw i ddim hyd yn oed yn lico wyau!' cwynodd Nel yn uwch a'i llygaid tywyll yn fawr, fawr i danlinellu'r anghyfiawnder roedd hi wedi'i ddiodde.

Safai o'i flaen â'i breichiau bob ochor iddi fel jwg dwy handlen. Roedd cudynnau anniben ei gwallt hir, golau, nad oedd wedi gweld brwsh ers dyddiau, yn disgyn dros ei bochau coch.

Cofiodd Ari fod Cai wedi cael y ddwy dafell ola o fara, a jam rhyngddyn nhw, am taw fe oedd yr ieuenga. Doedd Ari ddim yn siŵr oedd eu hangen arno chwaith, gan fod mwy o egni'n perthyn i Cai na'r un ohonyn nhw: roedd e fel un o'r ceir tegan 'na sy'n mynd a mynd nes rhedeg allan o fatri, ond nad oedd batri Cai byth yn rhedeg allan. Ac roedd 'na fagned ynddo hefyd oedd yn ei dynnu at ddrygioni.

'Welodd un o'r athrawon taw dim ond wy oedd 'da ti?' holodd Ari wrth i ofn arall afael ynddo.

Ysgydwodd Nel ei phen: roedd y pedwar ohonyn nhw

wedi hen ddysgu cuddio'u problemau rhag athrawon a phobol eraill fyddai'n gallu achosi trwbwl – Nel a Cai yn yr ysgol fach, ac Ari a Mags yn yr ysgol fawr.

Rhegodd Ari ei fam eto o dan ei wynt: arni hi oedd y bai nad oedden nhw'n cael cinio ysgol am ddim. Roedd hi wedi cael y ffurflen o'r ysgol eleni eto, ac wedi anghofio'i llenwi eleni eto.

Daeth sgrech o'r stafell ymolchi uwch eu pennau a gwyddai Ari fod Mags wedi camu unwaith eto i'r pwll o ddŵr lle roedd peipen dŵr oer y sinc yn gollwng. Tasg amhosib oedd ceisio sefyll yn ddigon pell o'r dŵr a llwyddo i gyrraedd y tapiau er mwyn golchi dwylo, wyneb neu ddannedd, a gwneud hynny heb anadlu drwy eu trwynau am fod y carped yn drewi cymaint.

Doedd peipiau Coed Helyg erioed wedi gwneud yr hyn y mae peipiau i fod i'w wneud, sef dal dŵr. Syniad ei rieni, mae'n debyg, oedd ailblymio'r tŷ dros ddeng mlynedd ynghynt pan symudon nhw yno, a Mags ac Ari'n blant bach iawn, cyn bod sôn am Nel a Cai. Syniad arall oedd ailweirio'r trydan, a chau'r tyllau yn y to oedd yn gollwng drafft a glaw yn gyson i'r lolfa a'r gegin fach. A syniad arall eto fyth oedd paentio ambell wal, a chael gwared ar y llwydni oedd ar wal bella'r gegin fach, oedd bellach wedi tyfu'n rhyw fath o fwsog.

Ond peth meddal yw meddwl, ac roedd byd natur tu allan yn prysur hawlio Coed Helyg yn ôl.

Oedd, roedd ei rieni wedi bod yn llawn o syniadau wrth brynu Coed Helyg, a'r nesa peth i ddim o'r syniadau hynny wedi'u gwireddu. Fe aethon nhw mor bell â phrynu cwpwl o anifeiliaid, a chodi sied i'r ieir, a chwt bach i fochyn cyn gwneud yn siŵr fod y to uwch eu pennau nhw eu hunain yn dal dŵr. Ond un felly oedd ei fam: ei phen – a'r gweddill ohoni – yn y cymylau.

'Mae 'na hanner paced o datws rhost yn y rhewgell,' meddai Ari i geisio cysuro'i chwaer fach. 'A dau dun o ffa pob yn y cwpwrdd.'

Byddai'n rhaid iddyn nhw wneud y tro fel swper i Nel ac yntau, a châi Mags y tun o gawl tomato roedd Cai wedi'i daflu at drwyn Nel. Ac os byddai Cai'n dod i'r golwg o ben draw'r cae dan tŷ? Byddai'n rhaid iddo fodloni ar y grawnfwyd roedd e eisoes wedi'i fwyta.

Petai'n dod i'r golwg, gwyddai Ari hefyd y byddai'n rhaid i Cai gadw llygad manwl ar y cysgodion yn y tŷ rhag i daflegryn siâp tun o gawl tomato – tun o ffa pob efallai – lanio'n ddirybudd ar ei ben.

Gwyddai Ari fod yn rhaid iddo siarad â Mags. Siarad iawn, sgwrs oedolion.

Pan lwyddodd i hel Nel a Cai i'w gwelyau o'r diwedd, tua hanner awr wedi deg, eisteddodd gyferbyn â Mags yn y stafell fyw. Roedd hi'n siarad â'i ffrind ar y ffôn.

'Mam moyn fi, goffo mynd,' meddai wrth Catrin ar yr ochor arall. 'Wela i di'n y siop dydd Sadwrn.'

Catrin oedd yn gweithio gyda Mags yn siop fach y pentre bob dydd Sadwrn a byddai dieithryn wedi meddwl nad oedden nhw'n gweld ei gilydd o un pen i'r flwyddyn i'r llall yn ôl hyd eu sgyrsiau ffôn.

'Beth?' holodd Mags yn siarp ar ôl ffarwelio â Catrin.

'Beth newn ni?' holodd Ari.

Doedd e ddim yn bod yn afresymol yn gofyn. Hi, yn bedair ar ddeg, oedd yr hyna ohonyn nhw, hi ddylai deimlo cyfrifoldeb. Roedd Ari dros flwyddyn yn iau na hi, ac eto, fe oedd yr unig un oedd i'w weld yn sylwi ei bod hi'n draed moch arnyn nhw.

'Mae hi bob tro'n dod adre ar ôl noson neu ddwy,' meddai Mags, gan anwybyddu'r olwg ar wyneb ei brawd a rhoi ei sylw i gyd i grafu'r polish coch tameidiog ar ei hewinedd.

'Heno yw'r bedwaredd noson,' cywirodd Ari. 'A dyw hi ddim wedi gadael arian tro 'ma. Ma'r bil trydan heb ei dalu.'

'Geith hi dalu fe pan ddaw hi 'nôl,' meddai Mags yn ddidaro.

'Do's fawr ddim bwyd yn y tŷ.'

Cododd Mags ei hysgwyddau'n ddi-hid ond gallai Ari weld ei bod hi'n dechrau poeni go iawn, er gwaetha'i hymdrech i geisio cuddio hynny.

'Faint o arian sy 'da ti?' holodd Ari. 'Rhaid bod 'da ti beth o dy gyflog ar ôl.'

Deffrodd Mags drwyddi. ''Yn arian i yw hwnna. Ti'm yn prynu bwyd 'da'n arian i!'

'Faint?' mynnodd Ari eto.

'Dw i ddim yn gweitho'n hunan yn dwll bob dydd Sadwrn er mwyn prynu bwyd!'

‘Faint?’ daliodd Ari ati’n styfnig.

‘Brynes i lipstic a chwpwl o bethe erill… a chredyd ar ’yn ffôn. Falle bod ’da fi chwe phunt ar ôl,’ ildiodd Mags yn ddistaw.

‘’Na’r cyfan sy ’da ti ar ôl o gyflog mis!’ Methai Ari â chredu ei glustiau.

‘Cyflog pedwar dydd Sadwrn o waith! Ie!’ gwaeddodd Mags ’nôl arno. ‘O’n *i* ddim yn gwbod bod Mam yn mynd i ddiengyd o ’ma a’n gadael ni heb ddim arian na bwyd!’

‘Fydd raid iddo fe neud y tro.’

Doedd ei fam erioed wedi diflannu a’u gadael nhw cweit mor dlawd o’r blaen. Roedd hi’n eitha didoreth ynglŷn â siopa ar y gorau, ond doedden nhw erioed wedi gorfod mynd yn brin o fwyd.

‘Fydd hi ’nôl fory, gei di weld,’ meddai Mags yn fwy parod i gymodi, ‘yn addo’r byd i ni am sbel fach eto.’

Yna, canodd ffôn y tŷ.

Rhuthrodd Ari amdano a’i godi’n syth gan ddisgwyl clywed llais ei fam.

‘Helo?’

Roedd ar fin gofyn iddi lle roedd hi pan glywodd lais Mrs Drws-nesa ar ben arall y lein.

‘Yw dy fam ’na?’

Beth oedd hon eisiau nawr?

‘Ym, na’di. Mae hi’n ei gwely.’

Saib hir tra’i bod hi’n disgwyl iddo ddweud ei fod e’n mynd i’w deffro hi.

‘Wel… yw hi’n bosib i fi ga’l gair ’da hi? Mae hanner

dwsin o'ch ieir chi wedi cyrraedd ein tŷ ni. Dw i wedi eu dodi nhw yn y sied, ond meddwl falle ddyle hi wbod...'

'Weda i wrthi,' meddai Ari ar ei thraws a diolch yn ei ben fod yr ieir yn dal yn fyw a ddim yn leinio stumog cadno.

Teimlodd Ari bresenoldeb Mrs Drws-nesa'n oedi ar ben arall y lein.

Roedd hon yn broblem barhaol: nid heb reswm y dechreuodd Nel ei galw hi'n 'Mrs Drws-nesa, bob tro'n busnesa'. Tueddai i wthio'i thrwyn i'w busnes nhw o hyd, gan holi ar ôl eu mam os nad oedd hi wedi'i gweld ers rhai dyddiau, neu ofyn 'Yw popeth yn iawn?' yn ffug ddiniwed. Gwyddai Ari fod cysylltiad rhyngddi a'r gwasanaethau cymdeithasol ers iddi ddechrau gofalu am fabi bach ar faeth, ac roedd hynny'n canu clychau yn ei ben.

I gymhlethu pethau'n waeth, hi oedd mam Lowri, ei ffrind gorau yn yr ysgol – y ffrind gorau na allai Ari fentro sôn gair wrthi am hyd a lled ei broblemau.

'Diolch yn fawr i chi am roi gwbod,' meddai Ari wrthi. 'Geith Mam ddod draw i'w nôl nhw fory.'

Erbyn fory byddai'n rhaid iddo wneud esgus arall dros absenoldeb ei fam, a doedd ganddo ddim syniad beth fyddai hwnnw. Ond digon i'r diwrnod ei drafferth ei hun.

Ildiodd Mrs Drws-nesa o'r diwedd, a bachodd Ari ar y cyfle i ddweud 'Nos da' swta wrthi a rhoi'r ffôn i lawr.

Cododd Mags i fynd i'w gwely ar ôl i Ari sôn wrthi am yr ieir.

'Fydd raid i ni weud wrth rywun,' meddai Ari er mwyn ceisio cael Mags i drafod. 'Allwn ni ddim byw fel hyn.'

'Os wedwn ni, gewn ni'n carto ffwrdd i fyw 'da bobol ddierth,' meddai Mags gan leisio'r ofn oedd yn rhoi cwlwm ar eu tafodau nhw i gyd pan oedd eu mam ar ei gwaetha.

Aeth Mags i'r gwely gan ddeialu rhif Catrin eto ar ei ffôn. Meddyliodd Ari na fyddai Mags yn hir cyn ildio unwaith y byddai'n rhedeg allan o gredyd.

Cofiodd fel y byddai'n arfer mwynhau'r awr neu ddwy a gâi o gwmni ei fam gyda'r nos pan fyddai hi'n sobor. Byddai ei dwylo'n cofleidio cwpanaid twym o de a'i hwyneb hi'n llawen ar ôl llwyddo i bara diwrnod heb y botel. Siaradai am yr hen ddyddiau pan oedd hi'n ferch fach, neu pan oedden nhw'n blant bach, neu sôn yn frwdfrydig am ei chynlluniau ar gyfer Coed Helyg: pa anifeiliaid eraill a gâi gartre yno, pa erddi newydd a gâi eu plannu, pa liw i baentio'r stafelloedd gwely. Trysorai Ari hi felly, er y gwyddai na châi'r un anifail newydd gartre ganddyn nhw, na'r un gardd ei phlannu, ac mai magnolia brwnt fyddai lliw wal ei stafell wely am flynyddoedd eto. Doedd dim ots yn y byd. Y wên yn llygaid ei fam wrth iddi siarad am y cynlluniau oedd yn bwysig.

Un fel'na oedd ei fam. Doedd hi ddim yr un peth â phobol eraill: roedd ei thywyllwch hi'n ddyfnach na thywyllwch neb arall, a'i lliwiau hi'n llawer mwy llachar.

Falle daw hi adre fory, meddyliodd Ari wrth droi am y grisiau.

Deffrodd o drwmgwsg wrth glywed sŵn. Ers faint oedd e wedi bod yn cysgu?

Edrychodd drwy'r llenni a gweld goleuadau car yn sgrialu i ffwrdd i lawr y trac o Goed Helyg.

Cododd yn ddistaw rhag dihuno Cai ar y matres ar lawr eu stafell wely. Rhuthrodd i lawr y grisiau. Agorodd y drws a gwasgu golau'r cyntedd er mwyn gweld yn well.

Ar lawr ar y cerrig mân o flaen y drws roedd bwndel du, llonydd.

Llyncodd Ari ei boer. Oedodd ar garreg y drws, gan wybod yn iawn fod yn rhaid iddo fynd draw i weld a oedd ei fam yn fyw.

2

'Ynnnnnnddddddyyymmffff,' oedd cyfarchiad ei fam i Ari ar ôl pedwar diwrnod heb ei weld.

'Helo, Mam, a shwt wyt *ti*?' meddai Ari wrthi'n ddigon didaro. Byddai waeth iddo fod wedi postio'r afr i'r lleuad na dechrau gweiddi arni yn y fan a'r lle fel yr oedd e'n teimlo fel gwneud. Doedd dim cyffro arni. Roedd hi wedi llwyddo i wneud sŵn pan ddywedodd hi 'Ynnnnnndddd dddyyymmffff', ond go brin y gallai neb ddweud ei bod hi'n gwneud synnwyr. Byddai'r afr wedi siarad mwy o synnwyr gyda fe am ei thrip i'r lleuad, siŵr o fod.

Roedd Ari wedi gorfod dihuno Mags i ddod i'w helpu i lusgo'i fam i'r tŷ. Doedd Mags ddim yn hapus iawn o gael ei deffro ond dilynodd hi Ari i lawr y grisiau ac allan, a golwg fel pe bai'n cerdded yn ei chwsg arni.

Llwyddodd y ddau i dynnu'r bwndel i'r tŷ a chau'r drws. Ni wnaeth eu mam gyffro unwaith wrth gael ei thynnu. Daliodd Ari ei thraed, a Mags ei garddyrnau. O leia roedd hi'n dal i anadlu erbyn iddyn nhw ei chael hi i mewn i'r stafell fyw. Gorweddai fel anifail wedi'i glwyfo ar y mat o flaen y lle tân.

Ceisiodd y ddau ei chodi i'r soffa, heb gael unrhyw lwc. Rhyfeddai Ari at ba mor drwm oedd hi, ac ystyried mai pwten fach denau, fawr talach na Mags oedd hi pan oedd hi'n sefyll ar ei thraed. Ond doedd 'na'r un sach datws yn pwyso cymaint â'i fam feddw, roedd e'n reit siŵr o hynny.

Daeth pall ar amynedd Mags.

'Dw i'n mynd 'nôl i'r gwely,' meddai gan adael i freichiau ei mam ddisgyn yn llipa ar lawr. 'Bydd raid i'r llawr neud y tro.'

Anelodd Mags yn ôl am y grisiau ac estynnodd Ari garthen dyllog oddi ar un o'r cadeiriau i'w gosod dros ei fam ar lawr, gan wneud yn siŵr ei bod hi'n gorwedd yn ddiogel ar ei hochor.

Astudiodd Ari glais mawr melyn ar fraich ei fam wrth ei phenelin. Edrychai'n union fel pe bai rhywun wedi gafael yn dynn ynddi i'w hysgwyd. Gallai Ari gydymdeimlo â'r rhywun hwnnw – roedd e'n aml yn teimlo fel ysgwyd ei fam. Rhaid ei bod hi wedi bwrw i mewn i gornel drws neu gelficyn yn ei meddwdod, barnodd.

'Mam, dw i'n mynd 'nôl i'r gwely!' gwaeddodd arni'n siarp wedi i Mags fynd, er ei fod yn gwybod yn iawn na fyddai gweiddi yn ei sobri hi.

Gwyliodd ei llygaid yn troi yn ei phen a chlywodd hi'n ceisio ffurfio geiriau. Doedd hi ddim yn sefyllfa gyfan gwbwl ddieithr i Ari: cofiai sawl achlysur yn y gorffennol pan oedd hi'n methu cael ei thafod i weithio.

'Ari,' llwyddodd i ynganu. 'Ari…'

'Shshsh, mae pawb yn cysgu. Cer di i gysgu hefyd.' Doedd e ddim eisiau clywed y 'soris' a'r euogrwydd a'r addewidion di-ben-draw heno.

'Ma raid i fi,' dechreuodd hi eto. 'Mae'n rhaid i fi weud.'

Roedd Ari'n flin erbyn hyn. Roedd hi'n hanner awr wedi dau ac ysgol ganddo i fynd iddi cyn pen chwe awr. Doedd e ddim eisiau treulio gweddill y nos yn gwrando arni.

'Plis, Mam, ddim nawr.'

'Beth bynnag sy'n digwydd,' dechreuodd hi, yn eithriadol o glir, ond roedd ôl ymdrech fawr ar y dweud. 'Bebynnagsydigydd,' meddai eto, heb fod cweit mor glir y tro hwn: trueni na fyddai hi wedi'i gadael hi ar un cynnig, meddyliodd Ari.

'Dw i moyn… dw i moyn…' ymdrechodd.

'Beth?' ochneidiodd Ari.

'Charsdagili,' meddai ei fam.

'Iawn, Mam,' meddai Ari. Beth bynnag oedd hi moyn, roedd awydd Ari i fynd yn ôl i'w wely'n gryfach na'i awydd i ddeall beth oedd hi'n ei ddweud.

'Addifi,' meddai wedyn.

'Nos da, Mam.' Cododd Ari.

'Addifi!' gwaeddodd hithau. 'Ti'n addifi?'

Gwyddai Ari na fyddai'n tawelu heb iddo geisio deall rhywfaint ar yr hyn roedd hi'n ei ddweud.

'Ydw i'n…? O!' deallodd. 'Addo i ti. Odw, dw i'n addo i ti.' Haws mynd gyda'r lli, beth bynnag oedd e'n ei addo.

'Charsdagili, addifi, charsdagili. Gwed e, addoifi...'

'Addo beth?'

'Chi pedwar.'

'Ni beth?'

Gallai hyn gymryd oriau.

Gwnaeth ei fam ymdrech deg i godi ar ei phenelin, ac

ymdrechodd ymdrech hyd yn oed yn decach i gadw ei llygaid arno. Roedd hi o ddifri – gymaint o ddifri ag oedd hi'n bosib i berson feddw slops garlibwns fod. 'Addo. I. Fi.'

'Iawn –'

'Moyn. Chi. Aros. 'Da'ch. Gilydd.' Disgynnodd yn ôl, yn glatsh ar lawr, a'r frawddeg anodda erioed iddi ei hynganu o'r diwedd wedi dod allan ohoni. 'Be-bynnag-sy'n-digwydd,' ychwanegodd yn sydyn, ond yn rhyfeddol o glir ar ôl yr holl drafferth gafodd hi gyda gweddill y frawddeg.

'Beth bynnag sy'n digwydd, fe wnaf i'n siŵr 'yn bod ni'n pedwar yn aros 'da'n gilydd,' ailadroddodd Ari wrthi'n ddiamynedd. Gwyddai pa mor hawdd oedd addo'r byd i berson meddw. Ni fyddai'n cofio dim am y sgwrs erbyn iddi sobri, heb sôn am unrhyw addewid y byddai'n ei roi.

Caeodd ei fam ei llygaid, cyn eu hagor eto ar unwaith. 'Jeremy!' gwaeddodd yn glir reit, nes dychryn Ari.

Jeremy? Ar ba lwybr dyrys oedd ei meddwl hi'n crwydro nawr?

'Jeremy, ma raid –'

Yna roedd hi wedi colli gafael ar yr hyn roedd hi'n ceisio'i ddweud. Caeodd ei llygaid eto a dechrau chwyrnu'n swnllyd dros y stafell.

Ewyrth pell, cefnder i'w fam, oedd yr unig Jeremy roedd Ari'n ei gofio. Rhyw greadur tal, rhyfedd oedd wedi bod yn aros yng Nghoed Helyg flynyddoedd lawer yn ôl pan oedd e a Mags yn fach, a Nel yn fabi. Fe fuodd e yno am gyfnod go hir, dyna oedd Ari'n ei deimlo ar y pryd. Roedd yn ei gofio am mai fe, yn ôl beth oedd ei fam wedi'i ddweud wedyn, oedd yr unig un o'r ychydig iawn o berthnasau oedd ganddi oedd yn dal i gydnabod ei bodolaeth hi, 'Carys ddrwg'.

Ac roedd 'na lun yn rhywle – ar y cyfrifiadur siŵr o fod. Roedden nhw'n fach yn y llun ac roedd 'na ddyn mawr heglog yn smocio sigarét wrth gornel y tŷ. Mae'n bosib, ystyriodd, mai cofio'r llun oedd e, yn hytrach na chofio'r dyn ei hun.

Aeth yn rhai oriau wedyn ar Ari'n ymollwng i gwsg. Daliai ei addewid i'w fam y bydden nhw'n aros gyda'i gilydd i droi a throi yn ei ben. Wrth feddwl 'nôl, roedd hi mor daer, mor o ddifri.

A hithau bron yn amser iddi wawrio, câi Ari hi'n anodd peidio â dychmygu'r pethau gwaetha un.

'Ble mae'n llyfr darllen i?' cwynodd Nel. 'O'dd e 'ma neithwr.'

'So llyfre'n gallu cerdded, wedyn fydden i'n meddwl falle'i fod e'n dal 'ma,' atebodd Mags yn sarcastig. Byddai Mags wedi gallu ennill gwobr 'Pencampwraig Sarcastiaeth y Byd'.

'Mae rhywun wedi dwgyd 'y nghrys pêl-dro'd i!' gwaeddodd Cai ar dop ei lais. 'A ddim *rhywun* dw i'n feddwl, ond *ti*!'

Anelodd am fag Nel, oedd yn digwydd bod ar ei hysgwydd, a llamu amdano. Tynnodd yn galed, gan dynnu hanner gwallt Nel gydag e.

'Aaaaaawwww!' sgrechiodd honno.

Anelodd Ari ei law at ben Cai ond roedd hwnnw wedi llamu o'r ffordd wrth wybod ei bod hi'n dod, ac roedd e bellach yn tynnu holl gynnwys bag dillad chwaraeon Nel allan dros y llawr wrth chwilio am ei grys.

'Beth fydden i isie 'da dy grys drewllyd di? Rho rheina 'nôl!' sgrechiodd Nel eto wrth weld ei dillad chwaraeon dros lawr y stafell fyw.

'Dw i methu aros nes bo fi'n un deg whech,' ebychodd Mags heb blygu i helpu Nel i roi ei phethau 'nôl yn y bag chwaraeon. 'I fi ga'l mynd o 'ma.'

'Na fi,' meddai Cai, oedd wedi bachu tun hanner gwag o fîns oer o'r gegin, a'i grys pêl-droed bellach o dan ei gesail. Slochiai'r ffa o'r tun heb boeni fod ambell un yn llithro i lawr ei grys ysgol gan adael striben oren ar ei hôl. 'I ti ga'l mynd o 'ma,' ychwanegodd, i wneud yn siŵr fod pawb yn gwybod mai dyna oedd e'n ei feddwl.

'Ddoth hi 'nôl 'te,' meddai Cai'n ysgafn wedyn, gan edrych dros ei dun bîns ar ei fam ar ei hyd ar lawr. 'Bydd isie sgwennu rhestr siopa iddi.'

'Ma Mam yn siŵr o allu gweld dros 'i hunan pa fwyd sy angen,' meddai Ari.

'O leia ma hi gatre nawr,' meddai Nel.

Sylwodd Ari nad oedd Mags yn gwisgo'i gwisg ysgol. Roedd hi wrthi'n gwisgo colur gan syllu i ddrych bach dwy fodfedd sgwâr oedd ganddi yn ei llaw. Ers blwyddyn neu ddwy, roedd Mags wedi dod i'r oed lle roedd ei hwyneb a'i hedrychiad yn bwysicach na dim byd arall yn y byd yn grwn. Pe gallai osod drych yn sownd wrth ei phen i'w hatgoffa'n gyson pa mor bert oedd hi byddai wedi gwneud hynny. Prin ei bod hi'n mynd i'w gwely heb ollwng y cwdyn bach yn llawn colur roedd hi wedi'i gael yn anrheg Nadolig gan eu mam.

'Pam ti'm yn gwisgo dy wisg ysgol?' gofynnodd.

'Sa i'n mynd i'r ysgol, os o's raid i ti ga'l gwbod.'

'Ma raid i ti.'

'Pwy sy'n gweud?'

'Y gyfraith,' meddai Ari. Canmolodd ei hun am ateb mor sydyn ac yntau heb gael mwy na thair awr o gwsg.

'Sa i'n gweld y gyfraith mewn 'ma i hela fi,' meddai Mags. 'Sa i'n gweld neb 'ma allith hela fi,' ychwanegodd wedyn.

Syllodd Ari ar ei fam yn gorwedd ar lawr o dan draed rhyngddyn nhw, yn chwyrnu: doedd neb na dim yn mynd i'w dihuno hi, waeth pa mor swnllyd oedden nhw.

Cododd Nel goes ei mam i edrych am ei llyfr darllen. Gollyngodd hi'n ddiseremoni drachefn wrth fethu â dod o hyd iddo.

'Beth o'dd 'i enw fe?' holodd Ari.

'Shwt ti'n disgwyl i fi gofio?' cyfarthodd Nel.

'Ti fod wedi'i ddarllen e.'

'Dw i wedi, ond so 'ny'n meddwl bo fi'n gwbod beth yw ei enw fe,' atebodd Nel, fel pe bai hynny'n amlycach na golau dydd glân gloyw i unrhyw un llai twp nag Ari.

'Wel, am beth mae e'n sôn?' holodd Ari wedyn, wrth deimlo'i amynedd yn ei adael.

'Yyy... sa i'n cofio,' meddai Nel.

Tynnodd Ari gopi o lyfr gan Roald Dahl allan o dan y soffa o dan drwyn ei fam ar y llawr.

'Cccc-chchch-aaachchchch-aaachchch,' chwyrnodd honno.

'Hwn yw e?'

Bachodd Nel y llyfr o'i law heb air o ddiolch ac anelu am y drws.

'Aros am Cai,' gwaeddodd Ari ar ci hôl, ond roedd Nel wedi mynd.

Gwnaeth Ari'n siŵr fod ei siwmper ysgol gan Cai, ac nad oedd gormod o drwch o fwd ar ei grys pêl-droed cyn ei hel yntau am y lôn i'r ysgol fach.

Cofiodd ar ôl gwneud hynny nad oedd neb wedi bwydo'r anifeiliaid. Ond doedd dim amser bellach: byddai'n rhaid i Soch y mochyn a Bwch yr afr aros nes i Mam ddeffro. Roedd hi'n rhyfeddol eu bod nhw wedi byw cyhyd fel oedd hi, felly ni fyddai'r un ohonyn nhw fawr dicach am orfod aros hanner diwrnod bach arall am ei frecwast.

'Ddylet ti ddod,' trodd Ari at Mags. 'So ti moyn i neb ddechre holi cwestiyne. Dere, ma 'da ti bum munud cyn daw'r bŷs.'

Ochneidiodd Mags, a gwyddai Ari ei bod hi'n mynd i wrando arno. Doedd hi, fwy nag yntau, ddim yn hoffi meddwl am y cwestiynau. Anelodd ei chwaer i fyny'r grisiau i newid. Ar ôl iddi fynd, aeth Ari i'w fag ysgol a rhwygo tudalen o bapur glân o gefn ei lyfr Hanes. Ysgrifennodd nodyn:

Mae'r ieir drws nesa, angen i ti fynd draw i nôl nhw.

Gosododd y darn papur wrth drwyn ei fam, estyn am ei fag ysgol ac anelu allan, gan alw ar Mags i hastu.

Wrth iddo gamu oddi ar y bws ysgol y prynhawn hwnnw, roedd hwyliau gwell ar Ari. Byddai eu mam ar garreg y drws i'w croesawu adre, yn gwisgo'i ffedog, a chaserol blasus ganddi yn y ffwrn ar ôl iddi fod yn siopa.

Os oedd hi wedi dod dros ei hangofyr, hynny yw, meddyliodd Ari wedyn. Ceisiodd beidio â chodi gormod ar ei obeithion.

Wrth droi'r gornel am Goed Helyg, gwelodd fod yr ieir 'nôl yn pigo'r cerrig mân o flaen y tŷ. Rhaid ei bod hi wedi codi, meddyliodd Ari, a chododd ei galon yntau.

Ond roedd annibendod y bore yno o hyd, a Cai a Nel yn gwylio'r teledu yn ei ganol. Roedd Mags wedi mynd draw at Catrin yn syth o'r ysgol er mwyn arbed rhywfaint ar gredyd ei ffôn.

A doedd dim golwg o'i fam. Rhaid ei bod hi wedi mynd 'nôl i'r gwely ar ôl casglu'r ieir. O wel, meddyliodd Ari gan geisio'i orau i beidio â theimlo'n ddiflas. Wnâi un noson arall o fod ar ddyletswydd swper ddim llawer o wahaniaeth.

Aeth ati i wneud cwpanaid o de i'w fam a mynnu fod Cai'n mynd ag e i fyny iddi.

'Ti moyn i fi gario hwn yr holl ffordd lan stâr?' cwynodd Cai fel pe bai Ari wedi gofyn iddo fe gario'r cwpan i ben draw Tsieina.

Anelodd Ari edrychiad bygythiol ato, ac ildiodd Cai'n flin cyn i law Ari ddilyn yr edrychiad.

Tynnodd Ari ei lyfrau ysgol allan dros fwrdd y gegin a dechrau ar ei waith cartre. Rhifau deuaidd, celloedd anifeiliaid a gwragedd Harri'r blincin Wythfed.

Bu wrthi am awr yn gwneud syms ac yn meddwl pa swper allai e baratoi i'w frawd a'i chwiorydd â'r ychydig oedd yn weddill yn y cypyrddau (hanner jar o jam, crwstyn sych a'r chwarter tun o bîns roedd Cai wedi'i adael wrth y sinc amser brecwast).

Cododd yn benderfynol: problem i'w fam oedd beth i'w wneud i swper.

'Isie dy farn di,' meddai Ari gan agor y llenni yn stafell wely ei fam.

Trodd, a gweld y gwely'n wag, a chwpanaid o de oer ar y bwrdd bach wrth ei ymyl.

'O'n i'n meddwl ei bod hi wedi mynd i'r tŷ bach,' protestiodd Cai wedi i Ari roi pryd o dafod iddo am beidio â dweud nad oedd ei fam yn y gwely pan aeth ati â'r te.

'Ac mae hi wedi mynd â'i brwsh dannedd gyda hi tro 'ma,' meddai Nel yn ddigon didaro ar ôl bod yn gwneud gwaith ditectif yn y stafell ymolchi.

Plygodd i edrych o dan y gwely.

'A'r *rucksack*. Ma'i wedi mynd â honno hefyd.'

3

'Ydy'r ieir yn dal i fihafio?' holodd Lowri ar ôl sleifio i mewn wrth ei ymyl yn y ciw cinio. Gwnaeth wyneb hyll ar Tom, a safai y tu ôl i Ari, am iddo fentro cwyno. Caeodd Tom ei geg yn bwdlyd.

'Cai oedd ar fai'n gadael drws y cwt ieir ar agor.'

'Cai sy bob tro ar fai yn ôl ti.'

Gwenodd Ari. Er bod ffrindiau ganddo o blith y bechgyn, roedd Lowri wedi bod yn ffrind gorau iddo ers yr ysgol feithrin a doedd e'n becso dim am y tynnu coes a gâi gan rai am iddo barhau ei gyfeillgarwch â merch yn yr ysgol fawr.

Mrs Drws-nesa oedd yr ola i weld ei fam cyn iddi ddiflannu. Er na fyddai Lowri wedi bod yno pan oedd ei fam yn nôl yr ieir, efallai y byddai hi wedi clywed Mrs Drws-nesa'n dweud rhywbeth a allai awgrymu lle roedd hi.

Ond cyn iddo orfod gofyn unrhyw gwestiynau cyfrwys, meddai Lowri:

'Wedodd Mam fod hast ofnadw ar dy fam pan ddoth hi draw dydd Gwener.'

'O... oedd, siŵr o fod.' Ceisiodd Ari feddwl am esgus. 'Mynd i'r dre i siopa oedd hi, dw i'n meddwl.'

'Oedd Mam methu deall pam na fydde hi wedi ffono'r siop ail-law i ddod lan i hôl y stwff.'

Trawyd Ari'n fud. Doedd ganddo ddim syniad am beth roedd Lowri'n sôn. Rhaid ei bod hi wedi deall hynny gan iddi fynd yn ei blaen i egluro:

'Mynd â llond sach gefen o hen ddillad i'r siop ail-law oedd hi. Gynigodd Mam lifft i'r dre iddi, ond fynnodd hi fynd ar y bỳs.'

Felly dyna oedd stori ei fam i'w chymdoges fusneslyd.

'Rhaid ei bod hi wedi llwyddo,' mwmiodd Ari, 'achos o'dd hi adre erbyn amser te.'

Byddai Ari wedi rhoi'r byd yn grwn am allu rhannu ei gyfrinach â Lowri. Ar ôl gweld ei gwely'n wag nos Wener, daethai Nel o hyd i nodyn brysiog gan eu mam ar gefn nodyn Ari'n sôn am yr ieir:

Gorfod mynd. Ddim yn gwbod pryd fydda i 'nôl.
Edrychwch ar ôl eich gilydd. Mam X

Cyrhaeddodd Lowri ac Ari y cownter bwyd.

'Dw i'n starfo!' Methodd Ari â dal rhag ebychu. Meddyliodd faint o ginio a gâi â'r £1.04 o arian mân yn ei boced. Doedd chwe phunt Mags ddim wedi mynd yn bell o gwbwl dros y tridiau diwetha.

'Ches ti'm brecwast?' holodd Lowri.

'Wrth gwrs 'ny.' A doedd e ddim yn dweud celwydd chwaith. Roedd e wedi cael wy wedi'i ferwi.

Ac i swper neithiwr roedd e a'r lleill wedi cael wy wedi'i ffrio. Roedd e wedi dechrau mynd i weld wyau yn ei gwsg. Ond breuddwyd am ladd Soch oedd wedi'i ddihuno fe'r bore hwnnw. Breuddwyd braf am ladd Soch a chael cig moch cartre ffresh i frecwast yn lle wy.

Estynnodd Ari am ddwy gacen bysgod gwerth 50c yr un wrth i Lowri estyn am blatiaid mawr o *lasagne* a phys. Syllodd Ari'n awchus ar ei phlât llawn, a methu â chuddio ei awydd rhag Lowri.

'Bryna i *lasagne* i ti i fynd gyda rheina.' Pwyntiodd Lowri at y cacennau pysgod amddifad ar blât Ari.

'Sdim isie.'

'Ti newydd weud bo ti'n starfo.'

A chyn iddo gael cyfle i brotestio, roedd hi wedi gofyn i'r weinyddes yr ochor draw i'r cownter am *lasagne* arall.

''Na fe,' gosododd Lowri'r plât ar hambwrdd Ari. 'Sdim isie i neb wbod.'

Talodd am y ddau ginio cyn i Ari allu dadlau. Roedd y grŵn yn ei fol yn rhoi tipyn bach o gwlwm ar ei dafod ta beth – roedd y *lasagne* wedi bod yn wincio arno ers i'w lygaid lanio arno gynta.

'Dala i ti 'nôl fory,' mwmiodd Ari, heb unrhyw syniad sut y byddai'n gwneud hynny. Anelodd y ddau am fwrdd gwag.

'Sdim isie,' meddai Lowri. 'Fydd Mam ddim callach.'

Daliodd Ari ei hun yn meddwl faint allai e ymddiried ynddi. Beth wnâi hi pe bai'n gwybod am y twll mawr yn nhrowsus ysgol Cai, a bod ei athrawes yn yr ysgol fach wedi gofyn iddo pryd oedd e'n mynd i gael trowsus newydd? A beth pe bai hi'n gwybod fod y cwmni trydan wedi ffonio nos Wener yn bygwth torri'r cyflenwad os na châi'r bil ei dalu cyn diwedd yr wythnos? A phe bai hi'n gwybod cyn lleied o fwyd oedd chwe phunt cyflog Mags wedi'i brynu yn yr archfarchnad ddydd Sadwrn? Pe bai hi'n gwybod fod angen pumpunt arall arnyn nhw o rywle i dalu am drip ysgol Cai? A phe bai hi'n gwybod nad oedd gan yr un o'r pedwar iot o syniad lle roedd eu mam wedi mynd na phryd y dôi yn ei hôl...

Pe bai hi'n gwybod hyn oll, meddyliodd Ari, fyddai hi'r un mor barod i guddio pethau rhag ei mam?

A gwyddai yr un mor sydyn na allai fentro cyfadde dim wrth Lowri. Ac yntau wedi addo i'w fam na châi neb na dim wahanu'r pedwar ohonyn nhw, gwyddai na allai rannu ei ofidiau â'i ffrind gorau.

Roedd Lowri wrthi'n siarad bymtheg y dwsin am un o'r athrawon, ac Ari heb glywed dim roedd hi'n ei ddweud.

'Ma'i lyged e ar dro i gyd. O'dd e'n edrych ar Owain wrth roi row i Jac!'

Chwarddodd Ari er nad oedd e wedi gwrando ar air o weddill ei stori.

'Fydd Mrs Drws-nesa fawr o dro cyn rhoi dau a dau at ei gilydd,' meddai Ari wrth Mags wedi i'r ddau leia fynd i'w gwelyau y noson honno.

'A neud pedwar,' ychwanegodd Mags yn ddiflas.

Roedd hi eisoes yn llawn diflastod: pigai ei bysedd

â'r nodwydd yn gyson wrth iddi geisio gwnïo'r twll yn nhrowsus ysgol Cai.

'Fe sylweddolith hi nad yw hi wedi gweld Mam ers dyddie, a chofio am y sach gefen.' Ochneidiodd Ari.

'Os bydden ni...' dechreuodd Mags wedyn, a gallai Ari weld olwynion ei meddwl hi'n troi, 'yn dod o hyd i rywun... rhywun fyddai'n fodlon helpu...'

'Do's neb allith helpu,' torrodd Ari ar ei thraws, 'ddim heb 'yn gwahanu ni.'

'Beth am Dad?' holodd Mags.

'Oes 'da ti syniad ble mae e?' holodd Ari'n obeithiol.

Meddyliodd am ei dad. Y cyfan oedd e'n ei gofio amdano oedd mai Josh oedd ei enw a'i fod e wedi cymryd y goes pan ddechreuodd Mam wneud mwy na thrafod peipiau gyda Steven y plymer. Hwnnw oedd tad Nel a Cai. Gallai Ari daeru iddo gofio'i fam yn dweud rhyw dro fod Josh bellach yn byw yn Ffrainc.

Cododd Mags ei hysgwyddau.

'Beth am Wncwl Jeremy?' holodd Ari wedyn wrth gofio fod ei fam wedi sôn am y dyn yn ei meddwdod y noson o'r blaen. 'Hwnnw fuodd yn aros 'ma. Mae e'n perthyn i Mam.'

'Yng Nghaerdydd mae e'n byw,' meddai Mags wedyn wrth geisio cofio, a chododd i fynd i chwilio mewn drôr.

Ar ôl ychydig eiliadau daeth o hyd i'r hyn roedd hi'n chwilio amdano.

'Llyfr rhife ffôn Mam,' meddai gan droi'r tudalennau – gwag gan fwya. 'Aha!' cyhoeddodd, a rhoi'r llyfr yn nwylo Ari. 'Jeremy Brown. Dim rhif ffôn, dim ond cyfeiriad.'

'Ti'n meddwl taw fan hyn ma'i?' holodd Ari. 'Fe ddwedodd hi ei enw fe'r noson gyrhaeddodd hi 'nôl yn feddw...'

'Pam fydde hi'n mynd ato fe?' gofynnodd Mags, a golwg meddwl yn ddwys arni. 'Ond fe allen *ni* fynd ato fe... galle fe edrych ar 'yn hole ni, 'yn cadw ni gyda'n gilydd. A ma siope bendigedig yng Nghaerdydd.'

'Wyt ti wir yn meddwl y bydde fe'n barod i groesawu pedwar o blant 'da breichie agored?' holodd Ari'n amheus.

Cytunodd Mags gan ochneidio. Pwy yn ei iawn bwyll fyddai'n gwneud y fath beth?

Doedd Steven y plymer byth yn galw draw a doedd Nel a Cai ddim wedi'i weld ers rhai misoedd. Arferai'r ddau fynd i'w weld bob pythefnos yn ôl y trefniant, ond doedd e ddim yn berson dibynadwy iawn. Roedd Ari wedi colli cyfri ar sawl tro roedd ei fam a'r ddau fach wedi cael siwrne ofer ar y bws ar ôl glanio yn nhŷ Steven a dim golwg ohono yn unman. Rhoddodd ei fam y gorau i'r ymdrech yn y diwedd, a doedd Cai na Nel ddim i'w gweld yn poeni. Daliai Nel i sôn amdano fel pe bai e'n sant, er hynny. Ond go brin y byddai e'n ddigon o sant i roi to dros bennau y pedwar ohonyn nhw nes dôi eu mam yn ei hôl.

'Beth ni'n mynd i neud ambitu arian trip Cai?' holodd Mags gan gnoi'r edau i'w thorri. 'Ddoth llythyr arall yn gofyn amdano fe o'r ysgol heddi.'

'Pumpunt,' meddai Ari'n ddiflas.

'Ie,' meddai Mags. 'Ac os na cheith e fe, fydd Miss Huws yn ffonio Mam.'

Cododd Mags y trowsus i Ari gael dweud ei farn am y gwaith roedd hi wedi'i wneud yn gwnïo'r twll. Edrychai fel pe bai neidr fawr lwyd wedi glynu at ben-glin y trowsus ac roedd darnau bach o edau las (doedd dim edau lwyd yn y tŷ) i'w gweld yn glir o bobtu iddi.

'Taclus iawn,' meddai Ari wrthi, a sylweddoli ei fod yntau hefyd yn feistr ar fod yn sarcastig.

'Nel!' sibrydodd Ari. Doedd e ddim ar boen ei fywyd eisiau dihuno Cai ar draws y landin.

Cysgai Nel yn drwm gan chwyrnu'n ddistaw, a'i cheg ar agor led y pen. Edrychodd Ari arni am eiliad â'i breichiau i fyny ar y gobennydd o bobtu i'w phen, a golwg heb ofid yn y byd arni.

Oedodd rhag ei dihuno. Doedd e ddim am darfu arni. Dechreuodd gerdded allan, ond wrth fynd drwy'r drws cofiodd mai dim ond Nel allai eu helpu o'r twll roedden nhw ynddo. Trodd yn ei ôl a chau'r drws rhag clustiau main Cai.

Aeth at ei gwely.

'Nel,' sibrydodd eto, yn uwch y tro hwn, a chyffwrdd yn ysgafn â'i braich.

Dihunodd Nel fel pe bai swits wedi'i wasgu ynddi i yrru trydan drwy ei chorff. Edrychodd ar Ari fel pe bai'n gweld dieithryn. Tybed am beth fuodd hi'n breuddwydio, meddyliodd Ari.

Yna cofiodd pam roedd e yno.

'Isie gofyn ffafr,' meddai wrthi.

Daliai Nel i edrych arno fel pe bai'n ceisio gwneud synnwyr o'i ymddangosiad sydyn ar ganol ei breuddwyd.

'Ti'n gwbod am y trip mae dosbarth Miss Huws yn mynd arno fe dydd Iau...' dechreuodd Ari egluro.

Gwgodd Nel. Byddai'n rhaid i Ari geisio rhoi siwgwr ar y bilsen cyn neidio i'r dwfn.

'Mae Cai'n edrych mla'n. Fe geith e amser da. A falle neith hynny ei neud e'n haws i'w ddiodde.'

Gwyddai Ari nad oedd e'n gwneud llawer o synnwyr iddi a hithau'n amlwg rhwng cwsg ac effro, ond allai e ddim bwrw i'w neges yn blwmp ac yn blaen heb rywfaint o adeiladu tuag ati. Byddai cael gwaed o garreg yn haws na chael Nel i ildio'r arian roedd hi wedi bod yn ei gynilo ers misoedd lawer er mwyn prynu cwt cwningod a chwningen fach i'w rhoi ynddo.

'So Cai'n cael arian y gwningen!' meddai Nel yn bendant, ddau gam ar y blaen iddo.

'Gad i fi orffen egluro,' mynnodd Ari. 'Os na chawn ni afael ar bumpunt erbyn fory, fydd Cai ddim yn ca'l mynd ar y trip.'

'Gallen ni ofyn i Dad,' meddai Nel. 'Dw i'n siŵr neith e dalu i Cai fynd ar y trip.'

'Falle,' meddai Ari'n amheus. Gallai datgelu eu sefyllfa i Steven greu trafferthion mawr.

'Falle fydde Dad yn fodlon i ni fynd i fyw 'dag e nes daw Mam 'nôl,' meddai Nel wrth i'r posibilrwydd wawrio arni.

Go brin, meddyliodd Ari. Doedd e erioed wedi bod yn rhy hoff o Steven, ond allai e ddim cyfadde hynny wrth Nel.

'Mae Mam moyn i ni aros 'da'n gilydd,' meddai wrth Nel eto, fel roedd e wedi dweud wrthyn nhw i gyd sawl gwaith ers dyddiau.

Wnaeth Nel ddim mentro awgrymu y gallai'r *pedwar* ohonyn nhw fynd at Steven: doedd ei meddwl mawr hi o'i thad ddim yn ymestyn cyn belled â hynny.

Ystyriodd Ari efallai y byddai'n werth galw heibio i Steven yn ystod y dyddiau nesa beth bynnag, yn y gobaith y caen nhw rywbeth ganddo heblaw drws yn cau yn eu hwynebau. Ond doedd hynny ddim yn ateb problem arian trip Cai.

'Do's dim amser i ofyn iddo fe am arian,' meddai Ari'n bendant, i roi diwedd ar ei delfrydu. 'Mae Miss Huws isie'r arian fory.'

'Hen drip dwl yw e ta beth,' meddai Nel yn bwdlyd gan godi ar ei heistedd. 'Pwy sy isie mynd i amgueddfa?'

Gwthiodd heibio i Ari ac estyn am yr hen dun bisgedi o waelod y cwpwrdd wrth ymyl ei gwely lle roedd hi'n cadw ei harian cwningen – un deg chwech punt a saith deg tri ceiniog ohono – yn ddiogel o dan ei llyfrau. Gwasgodd y tun yn dynn at ei brest.

'Paid becso, 'na i ddim ei ddwgyd e,' meddai Ari, gan wybod yn iawn ar yr un pryd mai dyna oedd e a Mags wedi bwriadu ei wneud yn gynta, cyn pwyllo a phenderfynu ceisio dwyn perswâd ar Nel i rannu'i harian yn lle hynny.

'Dim ond pumpunt,' erfyniodd Ari, '... a falle rhyw bunten neu ddwy i brynu rhagor o fwyd.'

'So chi'n ca'l e!'

Doedd dim troi ar Nel. Eisteddodd Ari ar ei gwely, yn barod i ddal ati i resymu â hi tan y bore os oedd raid. Gorweddodd Nel yn ôl ar y gwely, a'r tun bisgedi'n dal rhwng ei breichiau.

'Os nad yw Cai'n ca'l mynd ar y trip, fe fydd Miss Huws moyn gwbod pam. Ac os daw hi lan 'ma i chwilo am Mam –'

'Dw i moyn cwningen!' torrodd Nel ar ei draws yn siarp. 'Dw i 'di bod moyn cwningen ers blynydde. Wedodd Mam bod dim lle i'w chadw hi, a fydde raid i fi gasglu fy arian pen-blwydd i allu prynu cwt a phrynu cwningen. A 'na beth dw i 'di bod yn neud.'

'So Mam 'ma,' meddai Ari'n dawel. 'Ac os daw Miss Huws i wbod, neu unrhyw un arall, fe gewn ni'n hela o 'ma. Ti moyn byw 'da rywun arall? Ti moyn i ni ga'l 'yn gwahanu?'

Gwyddai Ari fod ei lais yn llymach, ond doedd ganddo ddim dewis. Roedd yn rhaid i Nel ddeall.

Disgynnodd deigryn i lawr ei boch.

'Dw i moyn cwningen,' mynnodd Nel eto, ond yn dawelach y tro hwn.

‘Ac fe gei di un pan sortwn ni bethe mas,’ meddai Ari’n fwy addfwyn.

‘Pryd mae Mam yn dod ’nôl?’ holodd Nel drwy ei dagrau.

‘Dw i ddim yn gwbod, Nel,’ cyfaddefodd Ari. ‘Ond dw i’n addo i ti, pan geith popeth ei sorto, fe gei di dy arian ’nôl.’

Doedd ganddo ddim syniad o fath yn y byd sut roedd e’n mynd i gadw at ei air. Byddai wedi bod yn haws iddo adeiladu cwt cwningen ei hun a dofi hanner dwsin o gwningod gwyllt y caeau na datrys yr holl broblemau oedd yn ei wynebu.

‘Dw i’n addo, Nel, fe gei di dy gwningen,’ cysurodd Ari ei chwaer fach.

Yn araf, araf bach, llaciodd Nel ei gafael ar y tun bisgedi a’i estyn yn betrus i ddwylo Ari.

‘Beth chi moyn?’ holodd Steven yn sarrug heb agor y drws yn llawn.

‘Nel oedd isie galw,’ meddai Ari.

Trodd Steven ei lygaid at Nel heb agor dim mwy ar y drws.

‘Moyn dy weld di, ’na i gyd,’ meddai Nel yn ddiniwed. ‘Ni heb fod ’ma ers amser.’

Edrychodd Steven heibio iddi hi ac Ari fel pe bai’n chwilio am Cai.

'Do'dd Cai ddim yn gallu dod,' meddai Nel, un cam ar y blaen i'w thad.

Roedd hi ac Ari wedi bod dros y sgript cyn mentro i lawr i'r dre ar y bws ar ôl ysgol. Dim gair am ddiflaniad eu mam. Roedd Ari a Mags wedi dod i'r canlyniad mai callach fyddai peidio mynd â Cai hefyd, rhag iddo agor ei geg a dweud mwy nag oedd yn ddoeth iddo'i wneud. Cafodd aros adre gyda Mags, a soniodd yr un o'r tri arall ddim gair wrtho am fwriad Ari a Nel i fynd i weld ei dad.

'Mae dy fam arfer ffono cyn dod â ti draw.'

Arfer, wir, meddyliodd Ari. Roedd misoedd ers iddo weld yr un o'i blant.

'Sori,' meddai Nel, a rhaid bod rhyw gydymdeimlad wedi'i ysgogi yn y dyn gan iddo adael Nel i mewn i'r tŷ wedyn, ac Ari wrth ei sodlau.

Eisteddodd y ddau ar y soffa, sef yr unig gelficyn yn y stafell wag, ac oedodd Steven cyn eistedd ar y fraich. Dechreuodd fân siarad â Nel, a holi ar ôl Cai. Holodd am yr ysgol, ac am ei ffrindiau. Ar ôl holi am bopeth arall, gofynnodd yn betrus sut oedd eu mam, ac atebodd Nel, yn union fel roedden nhw wedi'i ymarfer, ei bod hi'n iawn – yn brin o arian yn aml, ond yn iawn.

Ni fachodd Steven ar yr awgrym, neu os gwnaeth, penderfynodd ei anwybyddu.

'Dala i yfed yn drwm?' gofynnodd yn lle hynny.

Cododd Nel ei hysgwyddau fel pe na bai ganddi syniad yn y byd ynghylch arferion yfed ei mam.

Yna, roedd Nel yn ynganu'r frawddeg roedd hi ac

Ari wedi'i pharatoi, a rhaid oedd i Ari gyfadde'i bod hi'n swnio mor ddiniwed â phe bai hi newydd neidio i feddwl Nel:

'Ges i 'mhen-blwydd mis diwetha,' meddai wrth ei thad. 'A Cai bythefnos cyn 'ny.'

'Anghofies i,' meddai Steven a phlygu ei ben i astudio'r llawr mewn cywilydd. 'Mae'n anodd dod i ben â chofio popeth.'

'Jyst gweud, 'na i gyd,' meddai Nel, a chododd edmygedd Ari o'i chwaer wrth ei gweld yn actio'r rhan mor ddidaro. Unrhyw eiliad nawr byddai Steven yn estyn am ei waled...

Ond yn lle hynny, troi i edrych yn benderfynol ar y ddau wnaeth e.

'Dw i'n gobeitho bo ti wedi ca'l presant neis 'da dy fam 'te,' meddai'n hunanfeddiannol, 'achos dw i'n talu digon iddi amdanot ti a Cai bob mis.'

'Wel...' dechreuodd Nel, wedi'i hysgwyd braidd.

Sut oedd dweud wrth y ffŵl nad oedd Nel na Cai'n gallu cyffwrdd pen eu bysedd ar yr arian a gâi eu mam ganddo? Roedd yr un peth yn wir am yr ychydig bres roedd hi'n ei gael gan Josh am Ari a Mags. Nid oedd hi wedi gweld yn dda i adael dim ohono i'w phlant cyn diflannu o'u bywydau.

Ond wrth ffarwelio â'r ddau yn y drws, aeth Steven i'w boced a thynnu'r arian mân oedd yno a'i roi i Nel.

Saith deg pump ceiniog.

Ac roedd y bws i'r dre wedi costio dros bunt i'r ddau.

Er hynny, fe wasgodd Steven Nel ato wrth iddi fynd allan a dweud wrthi am alw eto'n fuan.

Aeth Ari a Nel oddi yno'n teimlo'n fwy amddifad nag erioed.

4

Ar ôl ysgol y noson wedyn, aeth Mags ac Ari i'r archfarchnad.

Roedd ganddyn nhw ddeg punt a chwe deg tri ceiniog o arian cwningen Nel (ar ôl tynnu pumpunt trip Cai a chost y bws i weld Steven), dwy bunt a thri deg naw ceiniog roedden nhw wedi dod o hyd iddyn nhw i lawr cefn y soffa a'r gadair freichiau ac mewn potiau a droriau yng Nghoed Helyg, a dau ddeg saith ceiniog roedd Mags wedi llwyddo i gael gafael arno o hen gadw-mi-gei oedd ganddi pan oedd hi'n fach.

A saith deg pump ceiniog Steven.

Pedair punt ar ddeg a phedair ceiniog i brynu bwyd tan bythefnos i ddydd Sadwrn, pan fyddai Mags yn cael cyflog am ei gwaith yn y siop.

Edrychodd Ari o'i gwmpas ar y gwahanol lysiau a ffrwythau, ac yna'n ôl ar y rhestr oedd ganddo yn ei law. Doedd dim sôn am lysiau a ffrwythau ar y rhestr, ar wahân i datws.

Y noson cynt, bu'n ceisio meddwl beth i'w brynu fyddai'n mynd yn bell ar arian bach.

'Gei di dwb o Haribos am ddwybunt,' meddai Cai.

Chafodd e ddim byd ond gwg gan Ari a Mags am ei gyfraniad i'r drafodaeth.

'Dw i'n hoffi Choco Flakes!' Gwenodd Nel wrth weld un fantais o beidio â gorfod cadw at yr hyn roedd Mam yn arfer ei brynu. 'Ges i nhw 'da Dad unwaith.'

Ar ôl cymryd cyn lleied â phosib at ginio'r ddau ohonyn nhw am y ddau ddiwrnod oedd ar ôl o'r wythnos ysgol, a'r bws adre o'r archfarchnad, aeth y ddau fawr ati i geisio meddwl sut i fwydo pedwar am bythefnos ar ychydig o dan ddeg punt.

Fyddai hi ddim yn bythefnos, wrth gwrs, cysurodd Ari ei hun: byddai ei fam wedi dod adre ymhell cyn hynny, oni fyddai?

Yn y siop, anelodd Ari am fagiaid o'r tatws rhata a'u gosod yn y troli oedd yn llawer rhy fawr. Gwelodd fod bagiaid o afalau'n mynd yn rhad a gosododd nhw gyda'r tatws. Aeth Mags draw i'r eil papur tŷ bach.

Sylwodd Ari'n fuan iawn mai tric oedd llawer iawn o'r bargeinion i ddenu siopwyr i brynu eitemau drud, a dysgodd fod dau am bris un yn aml lawer yn ddrutach na phrynu dau o'r fersiwn rata o'r un eitem. Sylwodd fod un brand o ffa pob yn mynd am ugain ceiniog y tun, felly gwnaeth yn siŵr ei fod yn rhoi pedwar tun yn y troli. Da iawn, canmolodd ei hun: er y byddai byw ar ffa pob yn ddiflas, roedd hynny'n gwneud synnwyr yn economaidd ac yn newid o wyau.

Llwythodd bedair torth wen rad i'r troli, a theimlo'n well: fydden nhw ddim yn llwgu!

Daeth Mags rownd y gornel yn cario pecyn o bedwar rholyn o bapur tŷ bach.

'Rho fe 'nôl, do's dim angen cymaint,' meddai Ari wrthi.

Eglurodd Mags ei bod hi wedi bod yn gwneud y syms, ac yn yr achos hwn roedd dau becyn bach o ddau rolyn yn llawer drutach na phrynu pecyn o bedwar, a fyddai'n golygu na fyddai'n rhaid iddyn nhw brynu rhagor am o leia bythefnos.

'Wyt ti wir yn meddwl fydd Mam ffwrdd am bythefnos?' holodd Ari, wrth sylweddoli fod Mags bellach wedi rhoi'r gorau i ddweud y byddai hi 'nôl cyn hir.

Roedd hi'n ymddangos i Ari fod gofalu am sychu eu penolau'n fater llawer drutach na gwneud yn siŵr fod ganddyn nhw ddigon yn eu boliau i fod angen mynd i'r tŷ bach yn y lle cynta.

Wrth droi'r gornel i fynd i'r eil creision ŷd, stopiodd calon Ari guro am eiliad wrth weld Miss Huws yr ysgol fach yn dod tuag ato. Ystyriodd gamu'n ôl o'i golwg, ond roedd hi wedi'i weld cyn iddo allu dianc.

'Siopa i Mam, da iawn ti!' meddai Miss Huws. 'A chofia ddweud wrthi fod angen i Cai ddod â bocs bwyd mawr ar y trip fory – fydd hi'n hanner awr wedi pump arnon ni'n dod 'nôl a so ni moyn i neb lwgu.'

Damo, meddyliodd Ari. Roedd e wedi anghofio am focsys bwyd Nel a Cai. Byddai'n rhaid prynu caws a ham drud, a chwilota am hen boteli plastig yn y tŷ i'w llenwi â dŵr.

'Iawn,' meddai Ari gan wenu ar Miss Huws.

'Ydy dy fam 'ma?' holodd Miss Huws wedyn gan edrych o'i chwmpas.

'Na, Mags a fi sy'n siopa drosti,' meddai Ari. Byddai wedi gwneud unrhyw beth i allu cuddio cynnwys rhad ei droli rhagddi.

Ond doedd hi ddim yn edrych ar y troli. Roedd hi'n gwenu'n llydan:

'Do's fawr o siâp gwnïo arni hi fwy na finne!' meddai. 'Mae arna i ofn y bydd angen iddi brynu trowsus arall iddo fe, ddoth y pwythe'n rhydd heddi eto. Cofia weud wrthi, nei di?'

Gwenodd Ari 'nôl arni ond doedd e ddim yn gwenu y tu mewn. Roedd e'n rhy brysur yn rhegi Cai yn dawel bach.

Ar ôl mynd o olwg Miss Huws, anelodd am yr eil ddillad. Edrychodd am drowsus ysgol ym maint Cai.

Pumpunt. Ffortiwn. Byddai'n rhaid rhoi hanner y bwyd 'nôl.

Edrychodd o'i gwmpas. Neb. Edrychodd uwch ei ben. Dim camerâu. Edrychodd o'i gwmpas eto rhag ofn bod staff diogelwch yn llechu rhwng y dillad. Bachodd y trowsus oddi ar yr hanger, ac roedd e ar fin ei wthio o dan ei siwmper pan welodd y tag plastig yn sownd wrth y coesau. Byddai hwnnw'n canu pob larwm yn y siop wrth iddo gael ei gario drwy'r drysau. Ochneidiodd, a rhoi'r trowsus yn ôl ar y rheilen. Byddai'n rhaid iddo weld a oedd ganddo fe hen drowsus ysgol ar gyfer Cai a gofyn i Mags roi cynnig ar wnïo'r gwaelodion heno.

Ar ôl talu am nwyddau, roedd ganddyn nhw ddigon ar ôl i dalu am y bws adre, a chwe deg tri ceiniog yn weddill. Daeth y ddau allan o'r siop yn teimlo eu bod wedi cyflawni tipyn o wyrth.

Yn yr arhosfan bysiau, sylwodd Ari ar Mags yn tynnu rhywbeth o'i phoced.

'Beth yw hwnna?' holodd, wrth i ofn afael ynddo.

'Gwobr,' meddai Mags yn cŵl braf.

Gwelodd Ari mai mascara oedd ganddi yn ei llaw, a gwyddai ei bod hi wedi'i ddwyn o'r archfarchnad. Teimlodd y dymer yn codi ynddo. Roedd hi'n peryglu'r cyfan!

'Beth 'set ti wedi ca'l dy ddala?' cyhuddodd hi a'i wyneb yn goch. 'Fydden nhw wedi galw'r heddlu, a 'na'i diwedd hi arnon ni wedyn.'

'Ond *ges* i mo 'nala, naddo,' dadleuodd Mags yn ôl.

'Mêc-yp!' poerodd Ari ati. 'Ni'n llwgu, a ti'n dwgyd *mêc-yp*!'

Doedd ganddi ddim ateb i hynny. Trodd oddi wrtho er mwyn peidio â gweld y cerydd ar ei wyneb.

Ac wedi iddi wneud, cafodd Ari gyfle i dynnu'r paced ham a'r paced caws roedd yntau wedi'u dwyn allan o dan ei siwmper cyn eu sleifio i waelod y bagiaid o siopa roedden nhw *wedi* talu amdano wrth y til.

'O na!' gwaeddodd Ari wrth droi'r gornel am Goed Helyg a'r bagiaid o siopa'n drwm yn ei law.

Roedd yr afr yn gorwedd ar ei hyd o flaen y tŷ fel pe bai hi'n farw gorn.

Cofiodd Ari am ei fam yn gorwedd yn yr un lle, bron i wythnos ynghynt, a golwg yr un mor llonydd arni hithau. Gwthiodd y bag siopa i law Mags a rhuthro draw at Bwch.

Daliai i anadlu, ond roedd hi'n amlwg mewn poen. Gwthiai'r anadl allan ohoni'n swnllyd, fel pe bai hi'n gwingo, ac roedd hi'n crynu'n ddireol gan fflicio'i chlustiau bob hyn a hyn.

Ar hyn, daeth Nel allan o'r tŷ ar ôl cael clywed gan Mags fod yr afr yn sâl.

'Beth sy'n bod arni?' holodd yn llawn pryder. 'Ydy hi'n mynd i farw?'

'Dw i ddim yn gwbod,' atebodd Ari. 'Ddim fet ydw i.'

'Fydd raid ffono fe,' meddai Nel wrth sylweddoli mai dim ond y milfeddyg fyddai'n gallu gwella Bwch.

'Sdim arian 'da ni i'w dalu fe.' Cododd Ari ar ei draed.

'Fydd *raid* i ni ffono fe!' dadleuodd Nel. 'Allwn ni ddim gadael i Bwch farw.'

Clywodd Ari ar ei llais ei bod hi'n agos at ddagrau. Gwyddai y byddai ffonio'r fet yn mynd â'r pedwar ohonyn nhw sawl cam yn nes at gael eu gwahanu. Cwestiwn cynta'r milfeddyg fyddai: 'Ble mae eich mam?'

Daeth Mags o'r tŷ wrth i Nel blygu at yr afr a rhoi ei breichiau amdani. Go brin ei bod yn rhoi unrhyw gysur go iawn i Bwch drwy wneud hynny, meddyliodd Ari.

'Iawn,' ildiodd Ari. 'Geith Mags ei ffonio fe.'

Bu'r milfeddyg wrthi am gryn hanner awr yn archwilio'r afr ac yn ceisio'i gwneud yn gyfforddus. Bu pedwar pâr o lygaid poenus yn gwylio ei symudiadau o'r tŷ.

Roedd e wedi dod yno ar unwaith, chwarae teg, a heb oedi dros eu hesgus fod eu mam 'mewn cyfarfod' a ddim yn dod adre tan yn hwyrach. Gwyddai Ari mai bil a ddôi ganddo am ei waith, ac na fyddai'n rhaid ystyried talu hwnnw ar unwaith, nac am rai wythnosau gyda lwc. Ac erbyn hynny, naill ai byddai ei fam wedi dod i'r golwg neu fe fyddai rhywbeth arall wedi digwydd.

Ceisiodd beidio â meddwl am y 'rhywbeth arall'. Roedd cysur o ryw fath yn y ffaith nad oedd bil y milfeddyg yn broblem oedd yn perthyn i heddiw a nawr. Câi fod yn broblem at eto – fel y bil trydan. (Roedd Ari wedi clywed bygythiadau'r cwmni trydan o'r blaen, a hyd yn hyn doedd yr un wedi cael ei wireddu.)

Estynnodd y milfeddyg botel frown o foddion i Mags a dangos iddi sut i'w roi i Bwch bob dwy awr. Rhybuddiodd hi i gadw llygad ar yr afr dros nos a'i ffonio os oedd hi'n gwaethygu. Dylai fod yn well erbyn y bore, meddai, ond doedd hi ddim wedi dod dros y gwaetha eto, a byddai'n rhaid iddyn nhw fod yn wyliadwrus.

'Dwedwch wrth eich mam,' meddai ar ddechrau pob brawddeg, gan gymryd yn ganiataol mai pasio'r cyfarwyddiadau ymlaen i'w mam fyddai Mags yn ei wneud. Gwrandawodd Ari'n astud, ac erfyn ar Bwch yn ei ben i wella erbyn y bore.

Cyn i'r milfeddyg fynd, gwelodd Ari siâp Mrs

Drws-nesa'n nesu ar hyd y llwybr, a'r babi maeth mewn siôl ar ei hysgwydd. Ceisiodd gyflymu camau'r milfeddyg i'w gar drwy ddweud 'Diolch yn fawr, fe ddwedwn ni wrth Mam' sawl gwaith drosodd. Doedd e ddim am i hwn a Mrs Drws-nesa ddechrau trafod absenoldeb ei fam.

Ond doedd dim golwg brysio ar y milfeddyg ar ôl bod wrthi'n chwysu dros yr afr. Daeth Mrs Drws-nesa atyn nhw. Dywedodd Nel wrthi fod Bwch yn sâl, cyn dechrau siarad babi â'r bychan ar ysgwydd eu cymdoges.

'A ble mae Mam?' gofynnodd Mrs Drws-nesa i Cai.

Cododd Cai ei ysgwyddau'n ddidaro.

'Mewn cyfarfod,' meddai'r milfeddyg ar ran y plant. 'Dw i wedi gadael cyfarwyddiade.'

'O?' Cododd llais Mrs Drws-nesa dros hanner *octave* wrth iddi lyncu'r wybodaeth. 'A phwy gyfarfod yw hwnnw 'te?'

'Wedodd hi ddim,' meddai Ari. Câi Mrs Drws-nesa bendroni drosti ei hun pa fath o gyfarfod fyddai'n cadw Mam i ffwrdd o'r tŷ gyda'r nos. Gwyddai Ari'n iawn ar yr un pryd ei bod hi'n amau mai cyfarfod mewn tafarn oedd e.

'Pryd fydd hi adre?' holodd Mrs Drws-nesa, ac amheuaeth wedi'i thaenu'n drwch ar bob sillaf.

'Nes mla'n wedodd hi,' meddai Mags.

'Wel...' meddai'r milfeddyg gan anelu am ei gar.

Diolchodd Ari iddo, a dilynodd Mrs Drws-nesa'r plant i'r tŷ. Sylwodd ar y feirniadaeth ar ei hwyneb wrth iddi gamu dros y sgidiau brwnt ar lawr y stafell fyw, a bwrw ei phen rownd drws y gegin i weld y domen o lestri wrth y sinc. Roedd y bag siopa'n dal i eistedd ar y bwrdd a neb wedi ystyried cadw'i gynnwys.

'Arwyn,' holodd Mrs Drws-nesa'n amheus, 'yw popeth yn iawn 'ma?'

'Ydi,' meddai Ari mor ddiniwed ag y gallai.

'Mae Mam wedi mynd ar wylie i Tenerife!' meddai Cai wrthi, yn wên o glust i glust.

Ddywedodd neb air am rai eiliadau, dim ond rhythu'n syfrdan ar Cai.

'Yw hi wir?' llwyddodd Mrs Drws-nesa ddweud cyn i neb arall ddod o hyd i'w tafodau.

'Peidwch â chymryd sylw ohono fe,' meddai Mags. 'Fydd Mam adre nes mla'n. Ma'i wedi mynd i gyfarfod rhywun ambitu ca'l gwaith.'

'Pa waith?' holodd Mrs Drws-nesa.

'Yn y siop,' meddai Mags heb lyfu ei gweflau bron. 'Yn y dre. Dw i ddim yn cofio pa un wedodd hi.'

'Amser od i gynnal cyfweliad,' meddai Mrs Drws-nesa gan edrych ar ei horiawr.

Wedyn, diolch byth, dechreuodd y babi lefain. Byddai Ari wedi taeru mai Nel roddodd binsiad iddo y tu ôl i gefn Mrs Drws-nesa gan mor ffodus oedd yr amseru. Ceisiodd Mrs Drws-nesa ei gysuro, ond doedd dim taw ar y babi.

'Shsh nawr, Sam bach, shsh nawr,' ceisiodd Mrs Drws-nesa ei dawelu'n llawn trafferth.

'Isie bwyd, siŵr o fod,' meddai Nel y tu ôl iddi a gallai Ari dyngu iddo weld golwg ddrwg yn ei llygaid. Go brin y byddai Nel o bawb, oedd yn caru pob math o greadur a gerddai'r ddaear, wedi gallu pinsio babi bach...

'Ddo i 'nôl yn y bore,' gwaeddodd Mrs Drws-nesa o garreg y drws dros y sŵn llefain. 'I ga'l gweld shwt mae pethe 'ma. Ac Arwyn,' ychwanegodd yn ei llais mwya difrifol, 'dw i'n ymddiried ynddot ti i ddod draw neu godi'r ffôn os oes unrhyw beth... unrhyw beth...'

Methodd feddwl pa fath o beth oedd yr unrhyw beth oedd hi'n ei feddwl, ond ysgydwodd Ari ei ben yn ddwys.

'Wrth gwrs, fe naf i. Ond fydd Mam gatre yn y funud.'

Doedd Mrs Drws-nesa ddim fel petai'n rhannu'r pendantrwydd oedd i'w glywed yn llais Ari. Rhoddodd Sam sgrech fyddarol arall i'w chymell oddi yno, a diolchodd Ari o dan ei wynt i'r babi bach.

'Ma'i wedi canu arnon ni,' meddai Ari wedi i'r drws gau ar ei hôl. 'Ble wedest ti mae cyfeiriad Wncwl Jeremy?'

'Allwn ni ddim mynd o 'ma,' meddai Mags yn llawn ofn.

'Allwn ni ddim aros 'ma ti'n ei feddwl,' cywirodd Ari hi. 'Fydd honna 'nôl bore fory a hanner gweithwyr cymdeithasol y sir 'ma wrth ei sodle.'

'Mynd i ble?' holodd Nel, sawl cam y tu ôl i'w brawd a'i chwaer fawr.

'I Gaerdydd,' atebodd Ari'n frysiog gan chwilio am bapur a beiro i wneud rhestr o bob dim roedd yn rhaid iddyn nhw fynd â nhw gyda nhw.

'Sa i'n mynd i Gaerdydd,' meddai Cai. 'Mae trip ysgol 'da fi fory.'

Meddyliodd Ari am y pumpunt o arian cwningen Nel roedd e wedi'i wastraffu i dalu am drip Cai.

'Ac os byddet ti heb fod mor ddwl â gweud bod Mam yn Tenerife, fyddet ti wedi ca'l mynd arno fe,' meddai Ari wrtho'n llym iawn, iawn.

'Beth am Bwch?' holodd Nel a'i llygaid yn llawn dagrau. 'Allwn ni ddim gadael Bwch i farw.'

Sythodd Ari a sefyll o flaen y tri arall. Roedd angen i rai pethau gael eu deall.

'Os arhoswn ni tan y bore, fydd raid i ni fynd o 'ma ta beth, ac fe gewn ni'n gwahanu,' meddai, heb adael lle i ddadlau. 'Yr afr neu ni. Dewiswch chi.'

Dechreuodd Nel lefain.

5

Erbyn hanner nos, roedd y plant yn barod i fynd. Roedd Ari a Mags wedi llenwi dwy sach gefn â dillad a chymaint â phosib o'r bwyd brynon nhw yn yr archfarchnad.

Doedd yr afr ddim i'w gweld fawr gwell, ond cysurodd Ari ei hun nad oedd hi i'w gweld yn gwaethygu chwaith. Roedden nhw wedi'i chario hi i mewn i'r tŷ yn y ferfa a'i gosod i orwedd o flaen y grât lle roedd Mags wedi cynnau tân bach i'w chadw'n gynnes. Rhoddodd hen flanced drosti wrth i'r tân farw'n raddol: allen nhw ddim â pheryglu bywyd yr afr a gweddill Coed Helyg drwy adael tanllwyth mawr ynghynn.

'Shwt dalwn ni am y trên?' holodd Mags eto. Roedd Ari wedi dweud ddwyawr ynghynt eu bod nhw'n mynd i gerdded i'r dre i ddal y trên cynnar am Gaerdydd.

Roedd talu am y trên yn broblem. Hyd y gwelai, dau ddewis oedd ganddyn nhw. Y cynta oedd ei mentro hi – camu ar y trên heb unrhyw fwriad o dalu, ac osgoi'r dyn ticedi drwy guddio yn y tŷ bach pan ddôi i ofyn am gael gweld eu tocynnau. Cynllun gwallgo, roedd Ari'n sylweddoli hynny.

A dim ond y blewyn teneua yn llai gwallgo oedd y cynllun arall.

'Lowri!' sibrydodd wrth y ffenest, gan daro'i fys yn ysgafn yn erbyn y gwydr.

Roedd e wedi aros nes bod goleuadau drws nesa wedi diffodd cyn sleifio draw ar hyd y llwybr o Goed Helyg, ac aros ychydig wedyn i sicrhau fod Mrs Drws-nesa'n cysgu'n drwm. Roedd hi'n hanner awr wedi un bellach, a gweddïai fod hynny'n hen ddigon hwyr iddi fod wedi dechrau chwyrnu. Gweddïai hefyd nad oedd Sam bach yn un am ddihuno yn y nos.

Yn ffodus, roedd stafell wely Lowri ar lawr isa'r tŷ, a gwyddai fod Mr a Mrs Drws-nesa'n cysgu i fyny'r grisiau. Doedd ganddo ddim syniad lle roedd Sam yn cysgu. Penderfynodd dapio'r gwydr yn ysgafnach rhag ofn mai lawr grisiau roedd ei wely e hefyd.

'Lowri!' sibrydodd eto, a gwrando.

Dim byd ond gwdihŵ'n tw-whit-tw-hwian draw yn y coed wrth Goed Helyg.

Tapiodd ar y gwydr eto, a difaru iddo hyd yn oed ystyried dianc. Heb arian, fydden nhw byth yn cyrraedd yn bellach na'r dre, heb sôn am Gaerdydd. A beth ar wyneb y ddaear a wnaeth iddo feddwl y byddai gan Lowri ddigon o arian parod i dalu am daith trên i bedwar plentyn yr holl ffordd i Gaerdydd? Byddai angen tri deg punt o leia...

Ac er iddo deimlo echdoe y gallai ymddiried yn Lowri i beidio â sôn gair wrth ei mam, oedd e wir yn meddwl y byddai hi'n cadw'r gyfrinach? Fyddai ei mam ddim chwinciad yn dod i wybod y gwir. Byddai'n mynd draw i Goed Helyg bore fory ac yn gweld, unwaith eto, nad oedd sôn am Carys. Byddai'n tynnu am wythnos a hithau heb ei gweld. Fyddai hi fawr o dro wedyn yn cysylltu â'r ysgol ac yn sylweddoli nad oedd y ddau fach leia yn yr ysgol gynradd, na'r ddau hyna yn yr ysgol uwchradd. Buan iawn y byddai Lowri'n cyfadde eu bod nhw ar y trên i Gaerdydd. Yn ei feddwl, gallai Ari weld y plismyn yn hel ar y platfform yng Nghaerdydd i groesawu'r pedwar ohonyn nhw i'r brifddinas.

Ond gwyddai Ari hefyd na fyddai'r pedwar ohonyn nhw'n cyrraedd cyn belled â'r dre mewn gwirionedd. Byddai Lowri'n galw ar ei mam yr eiliad y byddai hi'n agor y ffenest...

Camodd Ari oddi wrth y tŷ yn ddigalon. Byddai'n rhaid meddwl am ffordd arall o dwyllo Mrs Drws-nesa bore fory, neu wynebu'r gwaetha a chyfadde popeth wrth yr awdurdodau diwyneb oedd yno i'w danfon nhw i gyd i lefydd gwahanol.

'Ari...?'

Teimlodd Ari ei galon yn ei wddf. Roedd Lowri wedi agor y ffenest ac wedi'i weld. Trodd yn ôl ati.

'Beth sy'n bod?' sibrydodd Lowri. Doedd hi ddim fel petai hi eisiau dihuno ei mam chwaith.

'Alli di gadw cyfrinach?' gofynnodd Ari ar ôl camu'n ôl at y ffenest, gan deimlo'n drist ei fod e'n rhoi Lowri mewn lle cas.

'Gallaf,' meddai Lowri ar ôl eiliad.

'A hefyd,' aeth Ari yn ei flaen, 'oes arian 'da ti i fenthyg? Tua thri deg punt os yn bosib.'

Clywodd Ari hi'n ebychu.

'Nag o's,' meddai wedyn.

Dyna ni felly, meddyliodd Ari. Waeth iddo fynd yn ei ôl i'w wely. Claddu ei ben yn y tywod, a stwffio ei addewid i'w fam.

'Ond ma 'da fi ddau ddeg punt yn 'y nghadw-mi-gei,' meddai Lowri wedyn. 'A welith Mam ddim colli deg punt o'i phwrs...'

Bu Ari bron â phlannu cusan fawr ar ei boch, ond wnaeth e ddim. Yn lle hynny, eglurodd y cyfan wrthi a dweud beth roedd e a'r lleill yn mynd i'w wneud. Gofynnodd iddi beidio â dweud gair wrth ei mam. Addawodd Lowri'n syth. Ari oedd ei ffrind gorau wedi'r cyfan.

Dim ond rhyw dair awr oedd ganddyn nhw i gyrraedd y dre cyn iddi ddechrau gwawrio.

Dechreuodd Cai gwyno cyn iddyn nhw groesi carreg y drws: 'Sa i'n cerdded yr holl ffordd i dre,' meddai. 'Pam na allwn ni ffono tacsi?'

'Un: mae e'n rhy ddrud.' Cododd Mags un bys arno, cyn codi bys arall. 'Dau: sdim byd yn fwy sicr o dynnu sylw na phedwar o blant yn ffono tacsi am dri o'r gloch y bore.'

Cyn gadael, roedd Nel wedi holi perfedd Ari ynglŷn â Bwch: sut oedd e'n gallu bod mor siŵr ei bod hi'n dangos arwyddion o wella; sut oedd e mor bendant na fyddai'n gwaethygu ar ôl iddyn nhw fynd; oedd e'n berffaith siŵr y dôi rhywun heibio yn y bore i ofalu am Bwch?

Atebodd Ari bob un o'i chwestiynau, gan swnio'n llawer mwy sicr o'i bethau nag oedd e mewn gwirionedd. Roedd Lowri wedi dweud y dôi hi draw cyn i'w mam godi i roi moddion i Bwch, ond beth os na lwyddai i wneud hynny? Roedd Mrs Drws-nesa wedi bygwth dod yn ôl yn y bore, gan eu gorfodi nhw i ddianc, ond pa mor fore fyddai 'yn y bore'? Os dôi'n rhy fore, fyddai'r trên heb gael cyfle i gyrraedd Caerdydd cyn i rywun ddechrau chwilio amdanyn nhw; ac os nad âi Lowri draw i Goed Helyg yn ddigon cynnar, efallai y byddai'n rhy hwyr ar Bwch.

Roedd ffordd bell ganddyn nhw i'w cherdded. Rhaid fyddai cadw at y llwybrau cyhoeddus oedd yn arwain i gyfeiriad y dre dros y caeau a hen lwybrau fferm. Go brin y byddai neb yn cerdded ei gi am dri o'r gloch y bore, felly byddai ffordd glir o'u blaenau hyd at gyrion y dre. Âi'n anoddach wedyn, ond buan iawn y byddai'n gwawrio, a phresenoldeb pedwar o blant ar y stryd ychydig bach yn llai amheus.

Roedd gan Cai fflachlamp ar gyfer y mannau tywylla, ond ni fu'n rhaid iddo'i defnyddio fwy na dwywaith cyn cyrraedd y goedwig ar gyrion y dre. Gwnâi'r lleuad lawer o'r gwaith goleuo drostyn nhw, a diolchodd Ari am noson mor glir. Gallen nhw weld digon i beidio â disgyn i bwll o ddŵr neu grafu eu coesau yn y drain ar hyd ymyl y llwybrau.

Roedd yr awyr yn dechrau cochi y tu ôl i'w cefnau pan gyrhaeddon nhw gyrion y dre. Ar ôl cael rhwydd hynt ar hyd y llwybrau, a dim golwg o'r un dyn byw yn unman, roedd hi'n mynd i fod yn wahanol yn y dre. Penderfynodd Mags ac Ari mai aros o'r golwg yn y goedwig am awr neu ddwy oedd gallaf, nes y byddai'n fwy naturiol i bedwar o blant fod allan o gwmpas y dre; byddai'r trên yn gadael am chwarter wedi naw.

Gorweddodd Cai â'i ben ar un o'r sachau cefn, a Nel ar y llall. O dan dderwen fawr, roedd y ddaear yn ddigon sych, diolch byth, iddyn nhw allu gwneud hynny heb ofni eu bod yn gwlychu: taith ddiflas fyddai siwrne ar y trên yr holl ffordd i Gaerdydd mewn dillad gwlyb.

Synhwyrodd Ari fod Cai a Nel wedi cysgu o fewn deng munud i roi'r gorau i gerdded. Hoffai yntau allu cysgu hefyd, ond roedd ei feddwl yn rhy effro.

Trodd Mags i edrych arno mewn syndod wrth i ofn ei tharo'n sydyn.

'Beth os gyrhaeddith Mam adre a ninne heb adael nodyn iddi?'

'Shwt allen ni adael nodyn?' holodd Ari'n ddigyffro. 'Fydde hynny'n dangos i Mrs Drws-nesa lle y'n ni'n mynd.'

Yna eglurodd wrth Mags ei fod e eisoes wedi meddwl am y posibilrwydd y dôi Mam adre a'r pedwar ohonyn nhw ddim yno. Roedd e wedi gadael y llun bach o'r ddau ohonyn nhw yng nghwmni Wncwl Jeremy, yn blant bach, ar y bwrdd bach wrth ymyl y toiled. Cymerodd oesoedd iddo ddod o hyd i'r llun ar y cyfrifiadur, ond roedd e'n gwybod ei fod e yno'n rhywle.

'Fydd raid iddi fynd i'r tŷ bach rywbryd, felly mae hi'n

siŵr o'i weld,' meddai Ari. 'A hi fydd yr unig un fydd yn synnu ei weld e 'na, wedi ca'l ei brintio, a fydd hi'n deall wedyn lle fyddwn ni.'

'A fydd neb arall ddim callach.' Rhyfeddodd Mags at glyfrwch Ari. 'Whare teg i ti!'

'Do's dim i weud daw hi 'nôl, cofia,' meddai Ari. 'Mae'n wythnos gyfan yn barod.'

Roedd e wedi pendroni sawl gwaith dros ddiflaniad ei fam. Roedd wedi ceisio meddwl lle gallai hi fod wedi mynd ac wedi erfyn arni yn ei ben i ddod i gysylltiad, i ddweud ei bod hi'n iawn o leia. A doedd e ddim gronyn yn nes ymlaen nag oedd e wedi iddi fynd.

Dechreuodd feddwl sut gallai ei fam wneud hyn iddyn nhw, sut na allai godi'r ffôn i holi ar eu holau, neu i ddweud ei bod hi'n dal yn fyw – dim ond hynny fach? Pam mynd â'u gadael nhw heb ddim, heb fodd o dalu am ddim byd, a heb ffordd o allu cyflawni'r hyn roedd hi ei hun wedi'i fynnu ganddyn nhw, sef eu bod nhw'n aros gyda'i gilydd?

Ysgydwodd y meddyliau negyddol hyn o'i ben. Nid nawr oedd yr amser i ddechrau gofyn cwestiynau anodd. Câi ddigon o amser i wneud hynny ar ôl cyrraedd tŷ Wncwl Jeremy yn ddiogel.

Wedyn daeth ton arall o amheuaeth drosto. Beth os na fyddai Wncwl Jeremy'n fodlon rhoi to dros ben y pedwar ohonyn nhw? Beth os ffoniai'r gwasanaethau cymdeithasol i ddod i'w cludo nhw i gyd oddi yno i gartrefi ar wahân?

O leia byddai wedi gwneud ei orau i gadw ei addewid

i'w fam – doedd dim mwy na hynny y gallai unrhyw fab ei wneud.

Wrth droi'r gornel at yr orsaf, pwy ddaeth i'w cyfarfod ond Catrin, ffrind Mags.

'Haia!' meddai'n llawn syndod. Roedd hi'n ddiwrnod ysgol wedi'r cyfan. 'Beth y'ch chi'n neud mas o'r ysgol?'

'Beth wyt *ti*'n neud mas o'r ysgol?' holodd Mags, er mwyn cael amser i feddwl.

'Deintydd,' eglurodd Catrin. 'Chi hefyd?'

'Ym... na,' meddai Ari, rhag ofn eu bod yn rhannu'r un deintydd ac y byddai hi'n disgwyl iddyn nhw fynd yno gyda hi. Hefyd, roedd y sachau cefn yn awgrymu nad ymweliad â'r deintydd oedd yn gyfrifol am bresenoldeb y pedwar yn y dre.

'Mynd i weld Mam-gu,' cyhoeddodd Mags. 'Yng Nghaerdydd. Ni'n goffo mynd, dala trên.'

A rhuthrodd y pedwar i mewn i'r orsaf rhag gorfod ateb rhagor o gwestiynau. Rhaid mai dyna'r sgwrs ferra i Mags ei chael gyda Catrin erioed, meddyliodd Ari. A byddai Catrin yn sicr o synhwyro rhyw ddrwg yn y caws ar unwaith: doedd Mags ddim wedi sôn am unrhyw wyliau i Gaerdydd yn ystod eu sgyrsiau ffôn di-ben-draw. Pe dôi i hynny, doedd Mags erioed wedi sôn am fam-gu o'r blaen chwaith.

Buan iawn y dôi Catrin i ddeall yn yr ysgol fod y pedwar ar goll wedi i Mrs Drws-nesa roi gwybod i'r athrawon, a byddai'n dweud ei bod hi newydd eu gweld nhw, y pedwar ohonyn nhw, wrth yr orsaf…

Y cyfan oedd ganddyn nhw i'w wneud oedd cyrraedd Caerdydd cyn bod yr un larwm yn dechrau canu. Ond roedd hynny i'w weld yn mynd yn orchest gynyddol amhosib i Ari.

Aeth Mags ac Ari at y cownter i brynu pedwar tocyn, a dilynodd Cai nhw gan adael Nel i rwbio'i thraed blinedig wrth y drws.

'Pedwar tocyn plentyn un ffordd i Gaerdydd,' meddai Mags yn llawn hyder ffug. Cododd y ddynes y tu ôl y cownter ei phen am eiliad.

'Teithio ar eich pen eich hunain?' holodd, a dechreuodd Ari boeni fod 'na ddeddf yn gwahardd plant o dan un ar bymtheg oed rhag gwneud hynny.

'Ni'n cwrdd â Mam yng Nghaerdydd,' meddai Mags. Edrychai'n llawer hŷn yn y colur roedd hi wedi'i roi ar ei hwyneb pan oedden nhw'n cael hoe yn y goedwig.

Oedodd y ddynes eto, a rhaid bod Mags wedi dechrau poeni, gan iddi fynd yn ei blaen i ddweud:

'Dw i'n un deg chwech.'

'Nag wyt ddim,' meddai llais Cai y tu ôl iddi. 'Un deg –'

Ond roedd Ari, allan o olwg y ddynes, wedi rhoi ei law am geg Cai. Cnôdd hwnnw fys Ari a bu bron i Ari weiddi allan mewn poen.

'Ydw, dw i'n un deg chwech, ers wythnos diwetha.'

Rhythodd Mags ar Cai fel pe bai ei hedrychiad yn ddigon i'w droi'n fud.

Cafodd yr effaith gywir. Caeodd Cai ei geg am unwaith. Mwythodd Ari ei fys.

'Os felly,' meddai'r ddynes y tu ôl i'r cownter yn hafaidd braf, 'bydd angen i chi brynu tocyn oedolyn.'

Damo, damo, damo! Roedd Ari'n berwi y tu mewn: pam nad oedd Mags wedi rhagweld hyn? Er, byddai'n rhaid iddo gyfadde na welodd yntau'r trap chwaith.

Cael a chael oedd hi i Mags grafu digon ynghyd am dri thocyn plentyn ac un tocyn oedolyn. Ond rhoddodd Ari'r golled ariannol y tu ôl iddo wrth eistedd yn y trên. Buan iawn y cyrhaedden nhw Gaerdydd, a diwedd i'w holl broblemau. Byddai gan y pedwar ohonyn nhw do dros eu pennau nes y dôi Mam yn ôl o ble bynnag roedd hi wedi mynd.

Cysgodd Ari ac nid agorodd ei lygaid nes bod y trên yn cyrraedd gorsaf Caerdydd.

Daeth ato'i hun ar ôl cysgu mor drwm a cheryddu ei hun: allai e ddim mentro diffodd y swits a disgyn i gysgu. Gallai plismyn fod wedi dod ar y trên yn unrhyw un o'r gorsafoedd rhwng y dre a Chaerdydd, pob un yn chwilio amdanyn nhw. Diolchodd yn dawel bach nad oedd hynny wedi digwydd.

A'r eiliad nesa, gwelodd ddau heddwas yn nesu at y trên ar hyd y platfform.

6

Gwnaeth Ari'n siŵr fod Cai'n gafael yn llaw Mags cyn anelu i'r cyfeiriad arall.

Mewn eiliadau, roedd e wedi dweud wrthyn nhw am y plismyn ac wedi gorchymyn i bawb wahanu. Gallai Mags actio bod yn chwaer fawr yn hebrwng ei brawd bach, Cai, i rywle – at y deintydd efallai – neu hyd yn oed yn fam a mab os na fyddai'r plismyn yn edrych yn rhy ofalus.

'Dilynwch y bobol allan o'r stesion a gwrddwn ni tu fas,' meddai Ari gan weddïo na fyddai yna ragor o blismyn y tu allan i adeilad yr orsaf.

Roedd Nel i wneud ei ffordd allan o'r trên ar ei phen ei hun, ac Ari yr un fath ond i gyfeiriad drws gwahanol. Gwyddai na fyddai neb yn debyg o'i stopio fe, gan fod y sach gefn yn edrych yn union fel bag ysgol. Caeodd sip ei got, ac edrychai'n union fel bachgen ar ei ffordd i'r ysgol.

Roedd y plismyn yn dod i mewn drwy'r drws ym mhen arall y cerbyd. Â chefnau uchel y seddi'n eu cuddio am eiliad, bachodd Ari'r sach oddi ar gefn Mags a'i hestyn i Nel ei gwisgo ar ei chefn fel y byddai hithau hefyd yn edrych ychydig bach yn debycach i ferch ar ei ffordd i'r ysgol.

'Ewch!' hysiodd. Gwthiodd Mags ei ffordd at ben arall y trên, i ffwrdd oddi wrth y plismyn, a Cai'n gafael yn ei llaw. Aeth Nel ar eu holau ond gan ofalu dal 'nôl a gadael i bobol eraill ddod rhyngddi a Mags a Cai. Anelodd Ari i gyfeiriad y plismyn. Aeth yn syth heibio iddyn nhw, gyda'i ddwylo yn ei boced, ac ni chymerodd yr un o'r ddau sylw ohono.

Falle nad chwilio am bedwar plentyn oedden nhw wedi'r cyfan, meddyliodd Ari. Roedd cannoedd o wahanol resymau pam y byddai dau blismon yn edrych ar bobol yn dod oddi ar drên. Anelodd allan a gweld Nel o'i flaen. Daliodd yn ôl a mynd i astudio prisiau brechdanau yn y cwt gwerthu ar y platfform, fel pe bai'n ystyried prynu un. Byddai Nel wedi cyrraedd allanfa'r orsaf erbyn iddo ddechrau ei dilyn. Gobeithiai fod Mags a Cai yn cadw'n ddigon pell oddi wrthi rhag i'r heddlu amau rhywbeth.

Doedd dim golwg o'r lleill erbyn i Ari gyrraedd allanfa'r orsaf. Doedd dim golwg o'r heddlu chwaith. Ceisiodd Ari argyhoeddi ei hun fod hynny'n beth da, yn hytrach na dychmygu eu bod nhw, yr eiliad hon, yn siarad â Mags a Cai a Nel mewn stafell fach arbennig ar gyfer cwestiynu plant sy'n dianc...

Yna, gwelodd Nel yn edrych ar ffenest y siop agosa at yr orsaf. Yr eiliad nesa, gwelodd Mags yn dod tuag atyn nhw o gyfeiriad y ganolfan fysiau gerllaw – ar ei phen ei hun.

'Ble mae Cai?' Roedd Ari bron yn gweiddi.

'Paid becso,' meddai Mags. 'Fe dynnodd e'n rhydd o 'ngafael i wrth weld plismon yn nesu, a falle bod 'ny'n beth da achos ddechreuodd y plismon siarad 'dag e, gofyn o lle roedd e wedi dod. "Swansea," wedodd e, a wedyn waeddodd Cai "Mami!" ar ryw ddynes oedd yn cerdded tu bla'n i ni. Trodd honno rownd wrth ga'l rhywun yn gweiddi arni, a waeddodd e "Arhosa!" arni, ac fe arhosodd hi.'

Methai Mags ei hun â chredu sut roedd pethau wedi digwydd. Rhaid bod y ddynes roedd Cai wedi gweiddi arni naill ai'n dwp neu'n rhy syfrdan i allu gwneud dim byd ond gwrando ar y plentyn dieithr oedd fel pe bai e'n meddwl mai hi oedd ei fam.

'Wedyn, fe afaelodd Cai yn 'i llaw hi, ac fe symudodd y plismyn mla'n. Wedodd Cai "Sori, o'n i'n meddwl taw chi o'dd Mam" wrth y ddynes, oedd yn edrych arno fe fel llo, a falle nag o'dd hi'n siarad Cymrâg. Ta beth, ddoth Cai 'nôl i afael yn 'yn llaw i wedyn, yn cŵl fel ciwcymbr, a 'na fe.'

'Ble mae e nawr?'

'Tŷ bach,' meddai Mags, gan amneidio at yr arwydd toiledau wrth ymyl y ganolfan fysiau. 'Yr holl gyffro wedi neud iddo fe isie pisho.'

'Ti'n meddwl taw chwilo amdanon ni oedd y plismyn?' holodd Ari.

'Falle ddim,' meddai Mags. 'Ond sdim dal.'

'Treganna,' cyhoeddodd Nel gan edrych ar y darn o bapur yr oedd Ari wedi ysgrifennu cyfeiriad Jeremy arno. ''Na lle ni moyn mynd. Unrhyw syniad pa gyfeiriad…?'

‘Gobeitho bod cyfrifiadur ’da Wncwl Jeremy,’ meddai Cai wrth iddyn nhw gerdded ar hyd palmentydd Treganna yn chwilio am y stryd lle roedd eu hewyrth yn byw.

‘Siŵr o fod,’ cysurodd Mags. ‘Ma ’da pawb gyfrifiadur dyddie ’ma.’

‘Falle bydd ’da fe deledu mawr *plasma screen*,’ breuddwydiodd Nel. ‘A llond plât o swper blasus.’

‘Falle fydd dim lle ’da fe i ni aros,’ meddai Mags.

‘Gallwn ni gyd gysgu ar y llawr, yn yr un stafell,’ meddai Ari. ‘A fydd raid i ni gynnig helpu ’da pethe.’

‘Shwt bethe?’ holodd Nel.

‘Gwaith tŷ, mynd i siopa, unrhyw beth fydd e moyn i ni neud. Rhaid i ni allu cynnig rhwbeth am ’yn lle,’ meddai Ari. ‘’Na’r pris am gael aros gyda’n gilydd, ma arna i ofan.’

‘Sdim ots,’ meddai Mags. ‘Beth yw ’chydig bach o waith tŷ?’

Synnodd Ari: rhaid bod eu profiadau dros yr wythnos diwetha wedi cael effaith gadarnhaol ar Mags. Hi oedd yr ola i godi bys bach yng Nghoed Helyg fel arfer.

‘Dyma hi!’ gwaeddodd Nel, oedd wedi bod yn rhedeg o’u blaenau er mwyn darllen enwau’r strydoedd ar yr arwyddion.

Trodd y pedwar i mewn i *cul de sac* o dai Fictorianaidd tywyll.

‘Maen nhw’n… uchel,’ meddai Mags, yn lle dweud eu bod nhw’n codi ofn arni.

Doedd yr haul ddim fel pe bai’n cyrraedd y stryd fach gul.

Safodd y pedwar o flaen y tŷ a rhythodd hwnnw'n ôl arnyn nhw yn fygythiol iawn ei wedd.

'Sa i'n mynd fewn i hwnna,' meddai Cai heb adael unrhyw le i ddadlau.

'Na finne,' meddai Nel.

'Wel, sa i'n cerdded gatre,' meddai Mags yr un mor bendant.

Doedd Ari ddim yn siŵr iawn beth oedd e eisiau. Ar ôl yr holl drafferth roedden nhw wedi'i chael i ddod i lawr yma, byddai'n artaith gorfod troi rownd a mynd adre nawr.

Ond roedd y tŷ o'i flaen yn hela ias i lawr ei asgwrn cefn. Gwelai lenni mawr llychlyd yr olwg y tu ôl i ffenestri bwaog mawr y stafell fyw, a'r tywyllwch y tu ôl iddyn nhw. Go brin fod y lle wedi newid ers canrif a mwy, ac roedd haenen ddu o faw wedi glynu at y waliau Gothig yr olwg. Estynnai ei bedwar llawr i fyny i'r awyr gan guddio'r haul.

'Dewch mla'n 'te,' anogodd Mags y lleill i ddod at y drws.

'Wyt ti'n siŵr?' holodd Ari.

'Beth sy'n bod arnoch chi i gyd? Chi'n barnu'r dyn yn ôl ble mae e'n byw. So 'ny'n deg iawn.'

Anadlodd Ari'n ddwfn. Mags oedd yn iawn. Penderfynodd fod yn rhaid iddo gyfarfod Wncwl Jeremy. Jeremy Brown. Enw digon parchus.

Safai Mags o flaen y drws, ac Ari y tu ôl iddi, a Nel a Cai wedyn yn nhrefn eu hoedran. Curodd Mags ar y drws.

Aeth munud gyfan heibio heb i'r un o'r pedwar ddweud gair.

'Falle dylet ti dreial eto,' awgrymodd Cai. 'Mae e'n dŷ mawr. Falle'i fod e'n drwm ei glyw.'

Curodd Mags y drws eilwaith. Aeth dwy funud heibio y tro hwn. Ari dorrodd y tawelwch.

'Falle dylen ni fynd o 'ma,' meddai.

Ac ar hynny agorodd y drws.

'Wncwl Jeremy,' dechreuodd Mags, a chau ei cheg wrth weld y dyn a safai o'i blaen yn gwegian yn ffrâm y drws. Ni allai'r plant ddweud ai syndod neu rywbeth arall a gymylodd ei wyneb wrth iddi wawrio arno fod pedwar wyneb plentyn yn llenwi'r bwlch rhwng carreg y drws a'r gât. Roedd e'n dal fel polyn ac yn denau fel weiren, ac roedd e'n tyfu ei wallt at ei ysgwyddau fel pe bai i wneud iawn am y gwallt roedd e'n ei golli oddi ar ei gorun. Gwisgai wasgod frethyn a phatrwm sgwariau hen ffasiwn iddi, a siaced olau front a thyllau yn ei llewys.

Safai yn y drws – tan iddo beidio â sefyll yn y drws, hynny yw. Ddwy eiliad a hanner wedi i Mags ynganu'r enw 'Wncwl Jeremy', roedd e'n gwegian fwyfwy, fel coeden yn sylweddoli'n sydyn reit nad oedd ganddi wreiddiau, a thair eiliad wedyn roedd e ar wastad ei gefn ar lawr y cyntedd.

'Wncwl Jeremy…?' meddai Mags wedyn a goslef ei llais ar i fyny'r tro hwn.

'Dewch o 'ma,' meddai Nel a throi ar ei sawdl. Doedd dim byd ynglŷn â'r ymweliad hyd yn hyn wedi'i hargyhoeddi fod hyn yn syniad da.

'I ble?' holodd Mags. 'Sdim dewis 'da ni ond mynd i fewn. Sa i'n mynd gatre, sdim tra'd ar ôl 'da fi fel ma'i.'

'A dw i moyn bwyd,' cyhoeddodd Cai yn bendant.

'Mae dy fol di'n mynd i fynd â ti i drwbwl un o'r diwrnode 'ma,' meddai Nel, yn henaidd reit, er ei bod hi lawn mor llwglyd â'i brawd.

Nel oedd yr ola i mewn. Plygodd Mags uwchben Wncwl Jeremy a gwrando arno'n anadlu'n wichlyd. Daeth gwynt afiach holl wisgi'r brifddinas i gwrdd â'i thrwyn nes gwneud iddi dynnu wyneb.

Cofiodd Ari am ei fam yn sôn am eu tad-cu – tad-cu hwn a'i thad-cu hi, yr un un – yn gaib garlibwns o fore gwyn tan nos, ac am ei mam hi wedyn, merch ei thad-cu, yn diodde o'r un hoffter o frandi a jin. A dyma brofi, meddyliodd wrth syllu ar gefnder ei fam, fod alcoholiaeth yn lledaenu ar draws y goeden deulu yn ogystal ag ar i lawr. Sôn am neidio o'r badell ffrio i'r tân!

'Mae e byw ta beth,' meddai Ari gan dagu ysfa i chwydu.

Glaniodd llygaid Ari ar falwoden fawr ddu â'i thrwyn yn un o'r cartonau o lysnafedd wedi llwydo a orweddai ar y carped staeniog, o liw amhendant iawn, yn y stafell ar yr ochor dde, wrth droed chwith Mr Jeremy Brown, Wncwl.

'A ddim ar ben 'i hunan chwaith,' meddai Ari'n ddigalon, gan lygadu'r falwoden.

Agorodd Wncwl Jeremy un llygad drwgdybus a gwylio pedwar wyneb yn syllu i lawr arno a chryn ofn ar bob un. Rhoddodd Mags gam wysg ei chefn yn ei dychryn.

Agorodd Wncwl Jeremy y llygad arall.

Fe helpodd y pedwar e ar ei draed, a cherddodd Jeremy hanner dwsin o gamau cyn iddo ddisgyn 'nôl wedyn ar ei eistedd, fwy neu lai'n syth i mewn i gadair freichiau dyllog, front.

'Dod 'ma i weld os y'ch chi wedi gweld Mam y'n ni,' mentrodd Ari. Roedd hi'n ddigon amlwg bellach nad oedd ei fam yno. Allai Ari ddim gwadu nad oedd hynny'n siom iddo. I lawr yng nghefn ei feddwl roedd e wedi hanner dychmygu mai yma oedd hi, am ba reswm bynnag. Ond gallai hwn fod yn gwybod rhywbeth, yn enwedig â'i fam wedi cyfeirio at y dyn rhyfedd 'ma cyn diflannu'r tro ola.

'A phwy gaf i ddweud yw eich mam, grwt bach?'

Difarodd Ari ofyn. 'Carys,' meddai'n ddistaw.

'Ddim ers sawl, sawl, sawl, sawl, sawl, sawl, sawl, sawl, sawl blwyddyn,' meddai Jeremy a'i lygaid yn fawr fel soseri. 'Plant Carys,' ebychodd wedyn, fel pe baen nhw'r pethau diwetha yn y byd roedd e eisiau'u gweld yr union eiliad honno. 'Ddim tri 'noch chi sy fod?' ychwanegodd yn llafurus, gan edrych yn ofalus o un i'r llall er mwyn gwneud yn bendant siŵr nad ei feddwl meddw oedd yn gweld pedwar lle roedd tri i fod.

'Na, pedwar,' meddai Mags. 'Tri ohonon ni o'dd 'na pan o'ch chi'n aros gyda ni. Gafodd Cai ei eni wedyn.'

'Gwaetha'r modd,' clywodd Ari Nel yn mwmian wrth ei ochor.

Rhaid bod Cai wedi clywed hefyd gan iddo anelu ei law at ei phen. Camodd Ari i'w ffordd mewn pryd.

'Reit...' meddai Jeremy gan swnio'n ansicr iawn.

'Y'n ni fod i alw chi'n Wncwl Jeremy?' holodd Cai wedyn.

Allai Ari ddim meddwl am alw'r creadur rhyfedd, tal, meddw yn ddim byd fyddai'n dynodi ei fod yn rhannu'r un gwaed ag e.

'Ni'n perthyn,' meddai'r polyn lamp. 'Wedyn, gei di alw fi'n beth bynnag ti moyn.'

Gwenodd wên lydan, feddw ar Cai. Gweddïai Ari na fyddai Cai yn derbyn hyn yn rhy lythrennol: roedd sawl gair y gallen nhw fod wedi galw'r dyn a fyddai'n fwy addas nag 'Wncwl'.

'Beth chi moyn?' holodd Jeremy wedyn gan geisio cadw ei ffocws ar Mags fel y fwya, a'r fwya tebygol o allu dweud wrtho.

Dechreuodd Mags egluro wrtho am ddiflaniad eu mam, a'u hofn y byddai'r awdurdodau yn sicr ddigon o'u danfon at wahanol deuluoedd maeth pe baen nhw'n dod i wybod nad oedd oedolyn yn gofalu amdanyn nhw.

'Wel...' dechreuodd Wncwl Jeremy, gan bwyso'i ben yn ôl ar gefn y gadair, cyn tewi. Disgwyliodd y plant i gyd am ei ymateb, ond ni ddaeth yr un.

Yna, daeth sŵn o'i geg a sylweddolodd y plant, ar ôl

hanner munud, ei fod e'n chwyrnu. Roedd e wedi mynd yn ôl i gysgu.

'O 'ma,' meddai Ari. 'Glou, cyn daw e ato'i hunan.'

Dechreuodd Cai gwyno: 'Dw i moyn rwbeth i fwyta!'

'Os dw i'n mynd o 'ma, fydd raid i ti 'nghario i!' protestiodd Mags.

Penderfynodd Ari fynd i chwilio am fwyd – neu'n hytrach i chwilio am gegin, lle byddai ganddo rywfaint o obaith dod o hyd i fwyd. Cyhyd â'i bod hi'n gegin well na chegin Coed Helyg, hynny yw.

Ond wrth iddo gerdded ar hyd y coridor tywyll i'r cyfeiriad lle roedd e'n meddwl oedd y gegin, agorodd drws y ffrynt y tu ôl iddo. Daeth merch tua'r un oed ag Ari ei hun i mewn, yn gwisgo dillad ysgol ac yn cario bag ysgol ar ei chefn.

'Pwy yffach wyt ti?' meddai wrth Ari a'i llais yn finiog. Gollyngodd y bag ar lawr ar waelod y grisiau ac aeth i mewn i'r stafell lle roedd Wncwl Jeremy'n cysgu. Dilynodd Ari hi.

Bu bron i'r ferch neidio o'i chroen wrth weld y tri arall yn sefyll ar ganol y llawr.

'Beth yw hyn?'

'Ni mewn bach o drwbwl, ac o'n i'n meddwl falle galle Wncwl Jeremy 'yn helpu ni…' meddai Mags wrthi.

'Wncwl Jeremy…?' dechreuodd y ferch, fel pe bai hi'n methu credu fod neb yn y byd allai fod yn galw'r dyn yn Wncwl Jeremy.

'Hela nhw o 'ma!' meddai Jeremy'n garbwl wrth ddihuno eto. 'Gwed wrthon nhw fynd o'r ffordd.'

Digon teg, meddyliodd Ari. Roedd e wedi gwneud ei orau. Nawr, roedd hi'n bryd ildio i'r anorfod a mynd adre i gyfadde'i fethiant wrth Mrs Drws-nesa.

'Araf bach nawr, sdim isie bod yn fyrbwyll,' meddai'r ferch a golwg ddrygionus yn ei llygaid. Edrychodd yn hir o un plentyn i'r llall.

'Hal nhw o 'ma,' meddai Jeremy eto. A'r eiliad wedyn, roedd e wedi codi ar ei eistedd, a'i symudiadau'n llawer llai llesg. 'Sa i moyn nhw 'ma!'

Ond roedd hi'n amlwg fod y ferch yn anghytuno. 'Pam ddim, Jeremy? Gallen nhw fod yn handi…'

'Handi…?' holodd Mags.

'Helpu,' eglurodd y ferch ond nid wrth Mags. Dweud wrth Jeremy oedd hi. 'Mae cant a mil o bethe i neud…'

'Falle 'se well i ni fynd,' dechreuodd Mags. Roedd hithau bellach yn gweld rhyw fygythiad yn ymddygiad y ddau ryfedd yma. Ai merch Wncwl Jeremy oedd hon? Ond roedd hi wedi'i alw wrth ei enw cynta, oedd hi ddim? Doedd ganddo ddim plant pan oedd e'n aros yng Nghoed Helyg, neu oedd yna…?

Yna, roedd Jeremy wedi croesi'r stafell at y drws ac yn sefyll yn dal o'i flaen a'i freichiau ar led.

'Wrth gwrs!' meddai, yn wên o glust i glust. 'Mae'n *rhaid* i chi aros! Rhaid i chi aros i swper! Dewch! Dewch!'

Fe oedd y dyn mwya croesawgar yn y byd i gyd yn sydyn reit.

Ac unwaith ei fod e'n siŵr eu bod nhw i gyd yn cerdded o'i flaen tuag at y gegin, dawnsiodd Jeremy ar eu holau'n llawn bywyd gan ebychu 'Hyfryd! Hyfryd!' dros bob man...

Ond sylwodd Ari drwy gornel ei lygad ar symudiad sydyn Jeremy yn troi'r allwedd yng nghlo mawr drws y ffrynt wrth iddo'i basio, ac yn ei chadw yr un mor sydyn ym mhoced ei wasgod.

Ble yn y byd y'n ni wedi glanio, meddyliodd Ari, wrth i arswyd lifo drwy ei wythiennau.

'Campus! Penigamp!' Daliai Jeremy i chwifio ei freichiau o'u blaenau. 'Dy'n ni byth yn cael ymwelwyr, nag y'n ni, Lara?'

Trodd Lara i wenu'n fingam arnyn nhw, a daliodd Ari ei llygaid. Am eiliad, gwelodd ofn ynddyn nhwythau hefyd. Ond yr eiliad nesa, roedd yr olwg sarrug yn ei hôl, wrth i Lara gytuno â Jeremy... beth bynnag oedd e iddi.

'Byth!' cytunodd Lara.

Llyncodd Ari ei boer a theimlo anadl gwynt wisgi Jeremy ar ei war wrth iddo ddilyn y lleill i grombil y tŷ.

7

Go brin y gallai neb ei galw hi'n gegin.

Gorweddai haen drwchus o lwch dros y bwrdd a chownter y gegin, a gwe pry cop dros y llestri yn y sinc. Glynai haenen denau o lwydni dros y platiau, ac roedd hi'n bur debyg mai marw o henaint wnaeth y dwsinau o bryfed oedd yn gorchuddio pob silff glir yn y lle: roedd y genhedlaeth iau o bryfed i'w gweld ac i'w chlywed yn fyw ac yn iach ac yn llenwi'r aer rhwng eu pennau a'r nenfwd.

'Beth hoffech chi i ginio?' gofynnodd Lara.

'Ni'n iawn, diolch,' meddai Ari wrth edrych o'i gwmpas.

Gwelodd sosban ar y stof heb ddim byd ynddi. Cododd Jeremy hi a'i dangos i bawb.

'Drychwch! Sosban wag! Sosban wag yn eistedd ar y tân,' a pharhaodd dan ganu: 'Sosban wag yn eistedd ar y tân, a'r gath wedi sgratsio…' Yn y fan hyn, roedd e'n gwneud stumiau crafu o flaen Lara – '... Lara fach!'

Syllodd Lara arno am eiliad cyn torri allan i chwerthin a gwneud stumiau crafu 'nôl.

'Nawr'te, beth hoffech chi i fi roi yn y sosban?' gofynnodd Jeremy.

Aeth ati i agor y cypyrddau a'r ffrij, gan daflu ei freichiau ar led i gyflwyno'r tuniau tiwna a'r cosyn o gaws a'r bocsaid o wyau…

O, na! Ddim wyau eto, meddyliodd Ari.

'Pedwar wy ar dost!' cyhoeddodd Jeremy cyn i unrhyw un gael cyfle i ddweud beth hoffen nhw. 'Nage wir, Jeremy bach! Pedwar wy *a phedwar tost,*' cywirodd ei hun.

'Steddwch, steddwch.' Tynnodd Lara'r cadeiriau allan o dan y bwrdd, ac eisteddodd y pedwar gan edrych ar ei gilydd.

Dan ganu, aeth Jeremy ati i osod pedwar wy yn y sosban. Tywalltodd ddŵr oer drostyn nhw a chynnau'r stof. Yna, aeth i ddrôr a thynnu llwy bren fawr allan. Safodd uwchben yr wyau ac yn ofalus iawn, iawn, rhag eu torri, dechreuodd eu troi â'r llwy bren.

Edrychodd Ari ar Mags, ac roedd ei llygaid hi'n fawr gan syndod.

Doedd Ari ddim yn gallu penderfynu ai dim ond ecsentrig oedd Jeremy, neu a oedd e wedi colli'i farbyls yn gyfan gwbwl. Ers iddyn nhw gyrraedd, gwta ugain munud yn ôl, roedden nhw wedi'i weld yn fflat ar wastad ei gefn ar lawr, yn chwyrnu cysgu'n drwm, yn chwifio'i freichiau hirion o gwmpas ei ben fel melin wynt wyllt ac yn canu ei fersiwn unigryw ei hun o 'Sosban Fach' tra oedd e'n troi wyau mewn sosban.

Ond roedd y ffaith ei fod e wrthi'n gwneud bwyd iddyn nhw'n dangos fod croeso iddyn nhw, oedd hi ddim?

Doedd Ari ddim yn berffaith siŵr o hynny chwaith, ond roedd e am fwyta'i ginio cyn gwneud penderfyniad terfynol ynglŷn ag aros. Roedd e wedi dychryn pan welodd e Jeremy'n cloi drws y ffrynt, ond wedyn, roedd pawb yn cloi eu drysau yng Nghaerdydd, bob awr o'r dydd a'r nos. Mewn dinasoedd roedd y lladron mwya mentrus yn gwneud eu gwaith.

Difarodd na ddywedodd yn iawn wrth Jeremy beth oedd e eisiau i ginio. Roedd y pedwar ohonyn nhw wedi cael mwy na'u siâr o wy ar dost dros y dyddiau diwetha, ac roedd y tun tiwna'n wincio arno o'r cwpwrdd.

A nawr, roedd Jeremy wrthi'n troi'r wyau â llwy bren. Edrychodd Ari ar Lara i weld a oedd troi wyau yn eu plisgyn â llwy yn rhywbeth roedd hi'n ei ystyried yn normal. Doedd hi ddim fel petai'n sylwi ar beth oedd Jeremy'n ei wneud: roedd hi'n rhy brysur yn astudio wynebau ei frawd a'i chwiorydd.

Yn sydyn, sylwodd Lara bod Ari'n ei gwylio. Cochodd a throi i edrych ar Jeremy.

Teimlai'r deng munud a gymerodd hi i'r dŵr ferwi, yna'r wyau, fel oes. Canai Jeremy drwy'r amser, a safai Lara heb ddweud gair rhag tarfu ar ei ganu.

Yna, yr un mor sydyn ag y dechreuodd Jeremy ganu, fe stopiodd. Lluchiodd y llwy bren i gyfeiriad y sinc, ond disgynnodd honno i'r llawr wrth iddi fethu â chyrraedd. Diffoddodd Jeremy'r switsys ar y stof. Trodd i'w hwynebu nhw i gyd, a'i freichiau wedi'u plygu yn ei gilydd o'i flaen.

Roedd yr holl sioncrwydd wedi diflannu o'i wyneb, ac yn ei le roedd gwg fawr hir, hyll.

'Sa i'n gwbod,' meddai yn ei lais cwynfanllyd. 'Sa i isie pedwar o gege i'w bwydo, sa i isie pedwar pâr o lyged yn gwylio pob cam.'

‘O!’ ebychodd Lara a’i siom yn glywadwy. ‘Ond Jeremy, meddyliwch am y manteision!’

‘Py!’ chwythodd Jeremy drwy ei drwyn. ‘Pa fanteision?’

Symudodd Lara gam neu ddau i sefyll y tu ôl i gadair Cai a gosod ei dwylo ar ei ysgwyddau o’i blaen.

‘Bachgen bach perffeth.’

Syllodd Cai ar Ari. Doedd dim syniad gan yr un ohonyn nhw beth oedd yn digwydd.

‘Jyst y peth i gasglu rhent. Yr un mawr yma…’ pwyntiodd at Ari, ‘a’r un bach.’

‘Hmm,’ meddai Jeremy, yn dechrau gweld beth oedd ganddi.

‘Yr un bach yn gynta, i edrych yn drist ac yn dlawd, nes bod gan ’ych tenantiaid chi drueni drosto fe, a wedyn, os y’n nhw’n dal i wrthod talu’u dyledion… yr un mawr. Fydd raid iddo fe edrych yn fwy bygythiol nag y mae e’n edrych nawr, ond gallwn ni weitho arno fe.’

‘Hmm,’ meddai Jeremy eto, gan rwbio’i ên. ‘Fe fydde fe’n arbed i fi orfod mynd rownd i gasglu rhent.’

Penderfynodd Ari fod yn rhaid i un o’r pedwar ohonyn nhw siarad.

‘Oes llawer o denantiaid ’da chi?’ holodd, heb lawer o ddiddordeb mewn gwirionedd.

‘Cant tri deg naw a hanner,’ meddai Jeremy ar ei ben.

‘A hanner…?’ mentrodd Mags holi.

‘Ci. Lawr yn y Bae. Fe ddes i i gytundeb â’i berchennog, ac mae e’n talu rhent dros y ci hefyd.’

‘Rhaid eich bod chi’n gyfoethog dros ben,’ meddai

Mags gan edrych o'i chwmpas fel pe bai hi'n chwilio am dystiolaeth – unrhyw dystiolaeth o gwbwl – o'i gyfoeth mawr yn y gegin lom.

'Dros ben dros *ben*,' cytunodd Jeremy'n frwd. Trodd i edrych ar Nel a Mags. 'A beth am y lleill?'

Roedd Ari ar fin dweud nad oedd e na Cai wedi cytuno i weithio i Wncwl Jeremy eto. Beth am waith ysgol? Pryd gâi'r ddau amser i wneud eu gwaith cartre os oedd angen casglu rhent gan gymaint o bobol? Swniai hynny'n debycach i waith llawn-amser.

'Wel...' dechreuodd Lara, ac aeth i sefyll y tu ôl i gadair Nel fel roedd hi wedi sefyll y tu ôl i Cai. 'Mae gwaith angen ei neud ar y tŷ. Digon o lwch a baw i'w chadw hi'n brysur.'

Gwelodd Ari wyneb Nel yn tywyllu wrth glywed hyn, a'i gwefus isa'n gwthio allan.

'Ry'n ni'n barod i weitho,' meddai wrth Jeremy. Roedd hi'n bwysig i'r pethau yma fod yn glir. 'Do'n ni ddim yn bwriadu i chi ofalu amdanon ni heb ddisgwyl dim byd yn ôl.'

'A honna...?' pwyntiodd Jeremy at Mags gan anwybyddu Ari.

Neidiodd Mags yn ei chroen fel pe bai e wedi'i tharo.

Lledodd gwên gam dros wyneb Jeremy wrth i syniad ei daro. 'Ma 'da fi iws i honna.'

'Oes,' cytunodd Lara, 'mae mwy na digon o waith tŷ i'r ddwy ohonyn nhw...'

'Na, na, na!' meddai Jeremy. 'Pa waith tŷ? Mae 'na

waith pwysicach gen i ar ei chyfer hi. Edrych arni, wir. Edrych ar y pen mawr 'na…'

'Hei…!' protestiodd Mags.

'Mm,' cytunodd Lara, gan grychu ei thalcen ac astudio Mags nes gwneud i honno wingo o dan ei hedrychiad.

'Digon o le i mewn fan'na i ddala 'nghyfrifon i i gyd,' meddai Jeremy heb dynnu ei lygaid yntau oddi arni chwaith.

Gwingodd Mags yn waeth.

'Galla i osgoi talu cyfrifydd!' Clapiodd Jeremy ei ddwylo.

Sylweddolodd Mags beth oedd e'n ei awgrymu. Roedd e'n disgwyl iddi chwysu uwchben llyfrau'r busnes – yr holl arian rhent yna – yn gwneud syms o fore gwyn tan nos!

Gwnaeth y sylweddoliad iddi agor ei cheg yn llydan, yr un siâp ag wy wedi'i ferwi.

'Maths!' Ebychodd Mags ei chas air wrth i'w hunlle waetha ddod yn wir.

Cofiodd Ari hi'n dweud mai dau ddeg saith allan o gant oedd hi wedi'i gael yn ei harholiad Mathemateg diwetha.

'So Mags yn lico Maths,' eglurodd Cai'n gymwynasgar.

Agorodd Jeremy ei lygaid yn fawr, fawr unwaith eto a chymryd anadl ddofn, ddofn i mewn, fel pe bai e'n ceisio'u sugno nhw i gyd a holl gynnwys y gegin i mewn i'w ysgyfaint. Yna, plygodd yn ei hanner a mynd â'i ben yn agos, agos at ben Cai.

'Ond odi Maths yn ei lico *hi* yw'r cwestiwn!' sibrydodd Jeremy'n sinistr.

Yna, roedd e wedi sythu, ac yn siarad yn ei lais arferol, swta unwaith eto.

'Wel!' meddai'n bendant wrth Lara. 'Os nag yw hi'n mynd i weitho i dalu rhent, sa i moyn nhw dan draed. Os nag yw hi'n fodlon gwneud y syms, gewn nhw i gyd fynd adre.'

'Fe neith hi,' meddai Lara ar unwaith. 'Fe neith hi gadw'r cyfrifon yn berffeth.'

'Drychwch,' meddai Ari wedyn, gan deimlo fod yn rhaid iddo ddweud rhywbeth. Doedd e ddim wedi hoffi'r siarad am waith – gwaith caled fel cadw cyfrifon. Roedd yna deimlad rhyfedd iawn i'r holl beth, ac yn lle pwyso a mesur a gweld lle gallen nhw ddod i gytundeb, efallai mai gwell fyddai troi cefn ar hyn unwaith ac am byth. Dychwelyd i Goed Helyg, gweld beth ddôi...

'Dw i'n credu dylen ni fynd. Ni'n ddiolchgar iawn am bopeth, wrth gwrs... am y croeso, am y cinio blasus... ond mae'n well i ni fynd adre. Galle Mam gyrraedd adre unrhyw funud.'

'Na!' gwaeddodd Lara.

Credodd Ari iddo weld ofn gwirioneddol ar ei hwyneb. Ond yr eiliad nesa, roedd hi wedi cuddio'r ofn o dan wên fawr denau.

'Dych chi ddim yn meddwl mynd yr holl ffordd adre heddi? Beth am aros nes fory? Arhoswch heno, a wedyn gewch chi fynd yn y bore. O's arian 'da chi i dalu am docynne? Geith Jeremy dynnu peth mas o'r banc yn y bore.'

Edrychodd Ari ar Mags yn ansicr. Cododd hithau ei hysgwyddau. Trodd i edrych ar Nel a Cai, ac roedd golwg eisiau cysgu ar y ddau'n barod: doedd dim dal pa siâp fyddai arnyn nhw erbyn iddyn nhw gyrraedd 'nôl i Goed Helyg. Gwnâi synnwyr iddyn nhw aros tan y bore.

'Gewch chi i gyd gysgu yn y stafell fawr,' meddai Lara gan bastio gwên ar ei hwyneb. 'Stafell fendigedig, yr ore yn y tŷ. Dewch i fi ga'l dangos i chi.'

Agorodd y drws mawr trwm a daeth Lara i mewn yn cario hambwrdd a phedwar cwpanaid o de arno.

Roedd y plant wedi cytuno i aros dros nos. Wedi'r cyfan, doedd ganddyn nhw ddim arian i dalu am drên yn ôl, ac roedd Jeremy wedi addo nôl arian parod o'r banc ben bore trannoeth. Roedden nhw wedi cael mynd i'r parlwr i wylio rhaglen gwis ar hen deledu a edrychai fel rhywbeth o'r pumdegau ond a oedd yn amlwg yn gweithio'n iawn drwy'r bocs lloeren ar ei ben.

Eisteddodd Jeremy i lawr yn eu plith, yn awchu i'r cwis ddechrau. Roedd e fel peth dwl yn ateb y cwestiynau, gan ddadlau ag ef ei hun, a gweiddi'r ateb yn union fel pe bai e'n y stiwdio. Neidiai yn ei gadair fel pe bai ganddo lyngyr yn ei drôns, a churai ei ddwylo i longyfarch ei hun pan gâi gwestiwn anodd yn gywir.

'Nepal, Nepal, Nepal, Nepal, Nepal, Nepal… nage, TIBET!' gwaeddodd wrth weld llun baner.

'Burma,' meddai'r holwr ar y sgrîn.

'Burma, Burma, Burma, o'n i'n gwbod! Burma! Da iawn fi!'

Chlywai Ari ddim o'r cwestiynau: roedd e wedi'i syfrdanu ormod gan y Jeremy rhyfedd yma i allu rhoi unrhyw sylw i'r rhaglen.

Ac ar ôl i'r rhaglen orffen, roedd hwyliau Jeremy wedi dychwelyd i'r gwaelodion unwaith eto.

'Beth mae rhein yn neud 'ma?' Chwifiodd ei fraich i ddynodi mai sôn am y plant oedd e.

Ceisiodd Lara ei dawelu, ond yn y diwedd bu'n rhaid iddi ofyn i'r plant fynd i fyny i'r stafell fawr am ychydig. Roedd y pedwar wedi mynd allan drwy ddrws y parlwr cyn iddi orffen y frawddeg.

'Te,' meddai Lara nawr wrth ddod i mewn i'r stafell a gosod hambwrdd i lawr ar y bwrdd rhwng y ddau wely dwbwl.

Roedd hi'n eitha agos at ei lle wrth iddi ganmol y stafell yn gynharach. Doedd dim llwch yn y stafell fel oedd yng ngweddill y tŷ, ac roedd y dillad gwely'n edrych yn lân.

Rhaid bod Lara wedi sylwi ar eu gwerthfawrogiad o'r stafell.

'Fi sy'n cadw hon yn lân,' meddai. 'Rhag ofan.'

'Rhag ofan beth?' holodd Ari gan grychu ei dalcen.

'Rhag ofan daw rhywun i aros,' meddai Lara, nad oedd yn hoff iawn o orfod ateb.

'Ac fe ddaeth rhywun,' meddai Nel yn eitha distaw: hi oedd wedi bod fwya anhapus ynglŷn ag aros dros nos. 'Ni.'

'Do,' meddai Lara. Safodd ar ganol y llawr am rai eiliadau heb ddweud gair, a'r pedwar yn ei gwylio. Roedd hi fel pe bai hi'n ceisio penderfynu rhywbeth. Yna, trodd a mynd allan gan gau'r drws mawr solet ar ei hôl.

'P'un sy fwya od?' holodd Cai. 'Hi neu fe?'

'Fe,' meddai'r tri arall gyda'i gilydd.

O fewn tri chwarter awr, a hithau'n dechrau tywyllu y tu allan, clywodd y plant sŵn drws y ffrynt yn cau i lawr y grisiau. Edrychodd Mags ac Ari drwy'r llenni mawr a gweld Jeremy'n camu allan o'r tŷ gan wisgo'i got fawr amdano. Anelodd i lawr y stryd, a'i drwyn yn arwain gweddill ei gorff canghennog i ble bynnag roedd e'n mynd.

Yna, clywodd y pedwar gnoc fach sydyn ar ddrws y stafell a daeth Lara i mewn.

'Mae e wedi mynd i'r dafarn,' meddai Lara. 'Do's dim dal pryd daw e 'nôl. Mewn hanner awr, neu mewn peder awr. Do's dim dal, wir.'

'Wel... dere i eistedd 'da ni,' meddai Ari gan batio'r gwely wrth ei draed. Doedd dim i'w golli o fod yn gyfeillgar.

Eisteddodd Lara ar waelod y gwely arall, lle roedd Mags yn hanner gorwedd a Nel y tu ôl iddi'n swatio.

'Ry'n ni wedi bod yn treial meddwl shwt mae Wncwl Jeremy yn perthyn i ti.'

'Perthyn?' holodd Lara. 'So fe'n perthyn. Ddim trwy waed.'

'O...' meddai Ari, gan fethu meddwl beth arall i'w

ddweud. 'Na ninne whaith. Wel... ddim drwy *lawer* o waed. Cefnder i Mam yw e.'

'Ie,' meddai Lara. 'O'n i wedi gweitho mas taw rhwbeth felly o'ch chi.'

'Do?' synnodd Mags. 'Os 'ny, falle dylen ni ga'l gwbod pwy wyt ti?'

Anadlodd Lara'n drwm, fel pe bai hi ddim am funud eisiau cyfadde pwy oedd hi.

''I lysferch e dw i. Briododd Jeremy Mam.'

'A ble ma dy fam?' holodd Mags.

Trodd Lara bâr o lygaid brown tywyll yn llawn dagrau tuag ati.

''Na'r peth,' dechreuodd. 'Sa i'n gwbod. Sdim syniad 'da fi ble mae Mam.'

Methodd yr un o'r pedwar â dweud gair. Doedd y Lara hon yn ddim byd tebyg i'r Lara oedd wedi cynllwynio gyda'i llystad i lawr y grisiau yn gynharach i'w cadw nhw yno i weithio.

'A 'na pham berswades i Jeremy i adael i chi aros. Falle gallwch chi'n helpu i chwilo mas ble mae Mam.'

Mam *arall* ar goll, meddyliodd Ari. Beth yn y byd oedd yn bod ar yr holl famau yma'n diflannu drwy'r amser?

'Sdim syniad 'da fi beth sy 'di digwydd iddi,' llefodd Lara, 'a waeth na 'ny, dw i ofan bod Jeremy wedi'i lladd hi.'

8

'Chwe mis yn ôl briododd Mam a Jeremy,' dechreuodd Lara ddweud ei stori. 'Dw i ddim yn gwbod pam nath Mam shwt beth. Ond mae'n rhaid i chi ddeall, o'dd Jeremy'n wahanol iawn yr adeg 'ny, pan ddoth e i nabod Mam gynta. O'dd e'n garedig, ac yn annwyl.'

'Anodd credu 'ny,' meddai Cai. 'Hen ffŵl yw e.'

'Ie, ac mae e'n gallu newid fel'na!' meddai Lara gan glician ei bysedd.

Gallai Ari gredu iddo dwyllo mam Lara. Dyna'n union fel oedd e wedi bod gyda nhw ers iddyn nhw gyrraedd – yn sarrug fel brân, wedyn yr eiliad nesa yn fêl i gyd wrth i Lara ei atgoffa pa mor fuddiol fyddai eu cadw nhw yno.

'Fe dwyllodd e Mam, hyd yn oed os na thwyllodd e fi,' meddai Lara'n drist. 'Ac o'dd Mam yn un hawdd i'w thwyllo. Dim ond ni'n dwy o'dd ers i Dad farw pan o'n i'n fabi bach, ac ro'dd hi'n rhagweld fi'n mynd â'i gadael hi o fewn ychydig flynydde. O'dd hi isie cwmni, a Jeremy o'dd yn digwydd bod 'na.'

'Druan,' cydymdeimlodd Mags. Roedd hi, fel y tri arall ohonyn nhw, yn gwybod yn iawn am wendidau rhieni.

'Ac am dwyllo! Fe brynodd e werth ffortiwn o emau iddi, cadwyni aur, modrwyon diamwnt, breichledi gwerth miloedd. A digon o ddillad i bara blwyddyn heb wisgo'r un peth fwy nag unwaith. Brynodd e bob math o bethe i fi hefyd, cyfrifiaduron a stwff drud fel 'ny. Fe briodon nhw mewn gwesty mawr lawr yn y Bae, a threulio'u mis mêl yn Awstralia. Ac fe ges i fynd gyda nhw.'

'Waw!' meddai Cai.

Disgrifiodd Lara'r rhyfeddodau roedd hi wedi'u gweld ym mhen draw'r byd.

''Na lwcus wyt ti!' ebychodd Cai wedyn.

'Wedyn, ddaethon ni 'nôl i fyw fan hyn yn nhŷ Jeremy. O'n i wedi dechre gweld ei ochor gas e cyn y briodas, a'r ffordd ro'dd e'n yfed fel pysgodyn.'

'Rhedeg yn y teulu, ma arna i ofan,' meddai Ari.

'Wel. Lwyddodd Mam i beido sylwi nes 'i bod hi'n rhy hwyr. Os yw oedolyn moyn ca'l ei dwyllo, fe geith e'i dwyllo, a do'dd Mam ddim moyn y gwir.'

'Ers pryd mae hi 'di bod ar goll?' holodd Nel, oedd eisiau i Lara gyrraedd pen draw ei stori drist.

'Ers pythefnos gyfan,' meddai Lara. 'Es i i'r ysgol yn y bore, a do'dd dim golwg ohoni pan gyrhaeddes i adre. Wedodd Jeremy taw cerdded mas nath hi. Ro'dd e wedi bod yn gas wrth Mam cyn hynny, reit ers pan ddaethon ni 'nôl o Awstralia a gweud y gwir, yn gwmws fel 'se fe'n meddwl bod dim raid iddo fe actio bod yn ffein rhagor. O'dd e'n codi ei ddyrne arni.'

A dyma pryd y dechreuodd Lara lefain eto. Aeth Mags ati a gafael yn dynn ynddi. A thrwy ei dagrau, dywedodd Lara ei bod hi ofn fod Jeremy wedi mynd gam yn rhy bell ac wedi lladd ei mam hi.

'Paid â mynd i gwrdd gofidie,' dechreuodd Ari. 'Falle taw dianc nath hi.'

'Ond fydde Mam byth yn mynd â 'ngadael i!' mynnodd Lara gan godi ei llais.

'Gwahanol iawn i'n mam ni 'te,' mwmiodd Nel.

'A nawr, dw i wedi'ch tynnu chi'ch pedwar i fewn i 'nghawlach i,' llefodd Lara'n waeth.

'Do,' meddai llais ffyrnig Jeremy yn ffrâm y drws.

Sgrechiodd Nel yn ei dychryn. Roedd e wedi cyrraedd yn ei ôl ac wedi clywed rhan o'r hyn roedd Lara wedi'i ddatgelu wrthyn nhw.

'A nawr, fydd raid i fi'ch cadw chi i *gyd* dan glo tra dw i'n penderfynu shwt i ga'l gwared arnoch chi,' ychwanegodd nes bod diferion o'i boer yn disgyn o'u cwmpas.

Tynnodd allwedd fawr o boced waelod ei wasgod, a mynd allan i gloi drws y stafell fawr arnyn nhw.

Dyna ryfedd, meddyliodd Ari wrtho'i hun: doedd e ddim wedi sylwi ar y clo mawr yn y drws tan i Jeremy droi'r allwedd ynddo.

Y peth cynta wnaeth Mags oedd chwilio yn ei phoced am ei ffôn.

Doedd dim batri ar ôl ynddo wrth gwrs: byddai hynny wedi bod yn llawer rhy gyfleus.

'Gallen ni dorri'r ffenest,' meddai Cai, wedi iddyn nhw ddeall fod rheiny hefyd wedi'u cloi.

'Gwydr dwbwl cryf,' meddai Lara. 'Go brin y llwyddi di i'w dorri fe.'

'Gallwn ni chwifio'n breichiau ar bobol sy'n pasio,' meddai Mags.

'Fydd neb yn pasio,' meddai Lara. 'Does neb yn byw drws nesa. A hyd yn oed os bydd rhywun yn pasio, troi i edrych lawr fyddan nhw. Do's neb isie gwbod am broblemau pobol eraill yn y ddinas.'

'Rhaid bod rhyw ffordd o'i whalu fe,' meddai Cai gan wasgu ei ddwylo bach yn ddyrnau.

'Ti ddim yn nabod Jeremy,' meddai Lara. Yna, anadlodd yn ddwfn a chynnig eu bod nhw'n mynd ati i geisio torri'r ffenest ta beth er mwyn i'r pedwar ohonyn nhw gael dianc. Gallen nhw daflu'r bwrdd bach rhwng y gwelyau at y gwydr: rhaid bod rhyw ffordd o'i dorri.

Bachodd Mags ar yr hyn roedd Lara wedi'i ddweud. 'Ni'n pedwar ddwedes di? Ond beth amdanat ti? Fe ddoi dithe hefyd?'

'Na. Ddim nes ca i wbod beth sy wedi digwydd i Mam. Dw i wedi aros gyda fe hyd yn hyn er mwyn gweld beth fydde fe'n gweud yn ei feddwdod.'

'Wedith e ddim byd wrthot ti nawr,' meddai Ari. 'Ddim a fynte'n gwbod dy amheuon di am dy fam.'

'Ond alla i ddim mynd heb Mam,' dechreuodd Lara gynhyrfu eto. 'Beth os daw hi 'nôl?'

'Fe ddylet ti ddweud wrth rywun,' meddai Mags. 'Yn yr ysgol…'

'Pwy grede'r stori?' holodd Lara. 'Y cwbwl fydden nhw'n neud fydde fy hela i 'nôl at Jeremy, neu os na fydde fe'n isie i, fy hela i at rywun dierth.'

'Paid â sôn,' meddai Ari, ac eglurodd wrth Lara

mai dyna oedd wedi'u cymell nhw i ddod i chwilio am Jeremy yn y lle cynta: yr angen i osgoi gorfod mynd at bobol ddieithr.

'Cael cartre gan Jeremy,' meddai Lara, bron yn chwerthin, 'am syniad dwl! Wel... gallech chi weud 'ych bod chi wedi ca'l cartre 'da fe. Neu garchar fydde'n air mwy addas.'

'Odyn ni'n mynd i dorri'r ffenest neu beido?' holodd Cai'n ddiamynedd. Roedd e ar frys i adael y lle.

'Beth os lladdith e ni i gyd?' llefodd Nel wrth i'r posibilrwydd wawrio arni.

'Neith e ddim,' meddai Ari, ond doedd e ddim yn siŵr iawn o hynny chwaith. Wyddai e ddim beth i'w gredu. Swniai cyhuddiad Lara fod Jeremy wedi lladd ei mam yn hynod o annhebygol a gorddramatig – dyw pobol ddim yn lladd ei gilydd fel arfer. Ond roedd ei rhesymeg, na fyddai ei mam byth wedi'i gadael hi, hefyd yn dal dŵr.

'Drychwch,' meddai Ari wedyn: roedd rhaid i rywun gael meddwl clir. 'Mae Jeremy wedi meddwi. Digon posib fydd e'n iawn yn y bore, ac yn agor y drws i'n gadael ni mas yn wên o glust i glust.'

Edrychodd ar Lara i gael cadarnhad mai un felly oedd Jeremy, a chododd honno ei hysgwyddau.

'A phan neith e, fe helpwn ni Lara i siarad 'da fe, i geisio'i ga'l e i ddweud rhagor am ddiflaniad ei mam.'

'Ac os na neith e'n rhyddhau ni?' Mags oedd wedi gofyn y cwestiwn.

'Fydd raid meddwl am gynllun arall,' cyfaddefodd

Ari. 'Nawr, beth am i ni i gyd fynd i gysgu? Fydd pethe'n well yn y bore.'

'Mags!' Daeth llais Nel drwy dywyllwch y nos. 'Mags! Glywest ti hwnna?'

'Clywed beth?' holodd Ari o'r gwely arall, lle roedd e a Cai yn cysgu.

'Sŵn.'

'Shwt sŵn?'

'Mae llond dinas o sŵn allan fan'na,' meddai Lara'n gysglyd yr ochor draw i Nel a Mags.

'O'dd e'n swnio fel 'se fe'n dod o'r tŷ,' eglurodd Nel. 'Sŵn bwrw, fel 'se rhywun yn taro rhywbeth yn galed yn erbyn y wal. Shsh, 'co fe eto!'

A gwrandawodd y pedwar yn astud (roedd Cai'n dal i gysgu'n drwm). Dim smic.

'Rhaid taw breuddwydio o't ti,' meddai Ari wrth Nel.

'Glywes i fe nawr. Yn gwmws fel 'se fe'n dod o'r seler. 'Set ti'n stopo siarad...'

'Sdim seler 'ma,' meddai Lara.

'Cer 'nôl i gysgu,' meddai Ari wrth Nel, heb fod yn gas.

'*Glywes* i fe!'

'Falle taw sŵn y peipie o'dd e,' meddai Lara i geisio atal ffrae rhwng y brawd a'r chwaer.

Ond doedd Lara ddim yn swnio fel pe bai hi'n llwyr gredu ei hesboniad ei hun chwaith.

''Na fe eto!' sibrydodd Nel ymhen peth amser wedyn, gan ddychryn Ari. 'Sŵn taro metel…'

Gwrandawodd y ddau'n astud, a gallai Ari glywed y taro y tro hwn, tri thrawiad a stop. Tri thrawiad a stop. I lawr yng ngwaelodion y tŷ.

Wedyn, dim byd.

'Falle taw sŵn o drws nesa o'dd e,' cynigiodd Mags.

'Sneb yn byw drws nesa ond llygod mawr,' meddai Lara.

'Bydde raid iddyn nhw fod yn llygod mawr iawn i neud sŵn fel'na,' meddai Ari.

'Stopa'i!' gwichiodd Mags. 'Gas 'da fi lygod!'

'Falle taw ysbryd yw e,' sibrydodd Nel drwy'r tywyllwch.

'Ti'm yn meddwl…?' dechreuodd Lara ofyn i Ari, cyn tewi am na fedrai fentro lleisio gobaith.

'Meddwl beth?' holodd Ari.

'Dim byd,' meddai Lara'n drist.

Ganol y bore rywbryd, roedd Wncwl Jeremy wedi datgloi'r drws. Daliodd y pump eu gwynt wrth aros i weld sut hwyliau oedd arno heddiw.

Chawson nhw fawr o gyfle i ddarganfod hynny pan ddaeth Wncwl Jeremy i sefyll yn y drws. Y cyfan wnaeth e oedd lluchio torth sleis gyfan, cyllell, a phlât a thalpyn o fenyn arno ar y gwely agosa. Disgynnodd y gyllell ar lawr, ond cyrhaeddodd y dorth a'r plât â'r menyn ben i waered. Sychodd Mags y braster oddi ar y dwfe.

'Chi'n lwcus bo fi wedi penderfynu'ch bwydo chi bore 'ma. Newch yn fawr ohono fe, sdim dala beth benderfyna i prynhawn 'ma.'

Ac yna, roedd e wedi mynd allan, a sŵn yr allwedd fawr yn troi yn y clo.

'Dyna'n ateb ni,' meddai Mags. 'Gore po gynta newn ni ddianc.'

'Heno amdani,' meddai Ari. 'Ar ôl iddo fe fynd i'r dafarn, fe dorrwn ni'r ffenest...'

Ond er iddyn nhw wrando'n astud am sŵn y drws yn cau y noson honno, aeth Jeremy ddim allan.

'Rhaid 'i fod e ofan mynd a'n gadael ni ar 'yn penne'n hunen,' meddai Lara.

Ac i gadarnhau hynny, daeth Jeremy ei hun i'r drws i'w rhybuddio rhag meddwl dianc; roedd e'n cadw llygad barcud arnyn nhw, a chlust tylluan. Yn ystod y dydd, roedd e wedi dweud wrthyn nhw mai dim ond i fynd i'r tŷ bach fydden nhw'n cael eu gadael allan, a hynny fesul un, a than ei oruchwyliaeth e. Gwnaeth y pump yn fawr o'u cyfle i fynd i'r tŷ bach, a manteisiodd Ari ar y cyfle i lyncu pob manylyn am weddill yr adeilad: lle roedd pob stafell mewn perthynas â'i gilydd, faint o risiau oedd rhwng pob llawr, lle roedd y grisiau'n gwichian...

Diolchodd Ari'n dawel bach fod Jeremy wedi gadael iddo fynd i mewn i'r stafell ymolchi front ar ei ben ei hun, a gallai weld ei siâp drwy wydr y drws a'i glywed yn chwibanu anthem genedlaethol Ffrainc wrtho'i hun ar y landin. Trodd Ari'r tap i olchi ei ddwylo, ac edrychodd o'i gwmpas yng ngolau gwan y stafell ymolchi am dywel. Gwelodd gerpyn o wahanol liwiau brown a gwyrdd yn hongian ar ochor y bath, a phenderfynodd sychu ei ddwylo yn ei drowsus yn lle mentro defnyddio'r tywel.

Arweiniodd Jeremy y ffordd yn ôl i lawr y grisiau i stafell y plant.

'Ti,' trodd Jeremy at Mags cyn mynd â'u gadael. 'Gei di ddod lawr stâr 'da fi.'

'Na!' Roedd arswyd yn llygaid Mags.

'Dere mla'n, sdim trwy'r dydd 'da fi. Dw i moyn dangos y llyfre i ti.'

'Af i yn ei lle hi,' cynigiodd Ari. 'Dw i'n well na hi am neud syms.'

Ystyriodd Jeremy hyn gan wneud symudiadau â'i geg, yn union fel pe bai e'n cnoi cil.

'Hmmm,' dechreuodd Jeremy, a throi at Ari, gan wthio'i wyneb sarrug i'w gyfeiriad. 'Trafferth yw, sa i'n dy gredu di.'

'Chi ddim yn mynd â Mags!' meddai Ari mor fygythiol ag y gallai. Ceisiodd gamu rhwng ei chwaer a Jeremy.

'Nagw i wir? A phwy wyt *ti* i'n stopo i?' Chwarddodd

Jeremy'n sarrug yn wyneb Ari, cyn dweud eto wrth Mags, 'Siapa'i, ti'n dod lawr stâr i neud y cownts.'

Ar hyn, tynnodd siswrn o boced tu fewn ei siaced. Cododd Jeremy'r siswrn at Ari, a'i rybudd yn glir.

'Na!' sgrechiodd Nel.

Beth oedd e'n ei wneud yn cario siswrn ym mhoced tu fewn ei siaced, doedd Ari ddim am fentro dychmygu.

'Dere 'ma, y lowt!' Â blaenau bysedd ei law arall, roedd Jeremy'n ei wahodd i'w herio. 'Dere 'ma i ti ga'l blasu llafn y siswrn 'ma!'

'Fe af i,' meddai Mags, a chodi i ddilyn Jeremy. 'Paid neud dim byd dwl, Ari. Dw i'n mynd. Fydd popeth yn iawn.'

'Un groten gall yn 'ych plith chi…' meddai Jeremy.

Gallai Ari weld ei ddannedd yn ysgyrnygu arno.

Aeth Mags allan â Jeremy'n gafael yn ei braich.

'Pam oedd e'n cario siswrn?' holodd Nel a'i llygaid yn fawr gan ofn.

'Falle'i fod e ar ganol torri rhwbeth,' dechreuodd Lara, i geisio'i chysuro.

Ond gwyddai Ari y byddai angen gwell esboniad na hynny i leddfu ofnau Nel.

Roedd e'n methu â gadael i'w hun ddychmygu beth oedd yn wynebu Mags i lawr yng ngwaelod y tŷ. Berwai ei ben â rhwystredigaeth: pe bai e'n fwy, pe bai e'n gryfach, byddai wedi gallu goresgyn y Jeremy afiach 'na cyn iddo fynd â Mags. Byddai wedi'i lorio, wedi'i ddyrnu, wedi'i...

Unwaith eto, allai e ddim meddwl ble oedd pen draw'r hyn fyddai e wedi gallu ei wneud i'r dyn. Pe bai. Pe bai... pe bai... pe bai... Trodd y meddyliau yn ei ben. Cododd fel rhywbeth o'i go a gafael yn y bwrdd bach rhwng y gwelyau a'i hyrddio yn erbyn y ffenest â'i holl nerth.

Dim byd. Dim gwydr yn chwalu, dim byd ond clec fach ddi-nod.

Cododd y bwrdd eto a'i daflu'n galetach y tro hwn.

Dim byd.

Aeth ati eto, a dal y bwrdd y tro hwn. Tarodd, a tharodd a tharodd. Ond wnaeth y gwydr ddim torri. Prin oedd e'n dangos unrhyw ôl o'r ymosodiad. Roedd marc bach tua modfedd o hyd lle trawodd cornel y bwrdd yn erbyn y gwydr unwaith, dyna i gyd.

Daeth Lara ato, a gwasgu ei ysgwydd. Teimlai Ari fel llefain. Eisteddodd ar y gwely a rhoi ei ben yn ei ddwylo. Caeodd ei lygaid yn dynn. Rhegodd ei hun yn ei ben am fod wedi dod â'i chwaer a'r ddau fach i'r lle yma, am fod wedi poeni am ufuddhau i'w fam ddwl yn lle rhoi gweddill ei deulu'n gynta.

Roedd Cai wedi dod o hyd i sgwaryn bach plastig o dan un o'r gwelyau, a naw darn bach ynddo i'w symud i'w lle er mwyn gwneud llun. Dyma'r math o beth roedd Ari wedi'i weld mewn sawl cracyr Nadolig, a'r math o beth na fyddai byth wedi ennyn sylw Cai o'r blaen, â digonedd o bethau mwy difyr i'w chwarae ar y cyfrifiadur.

Ond yma, a hwythau'n gaeth i'r stafell, roedd y sgwaryn bach plastig yn mynd â'i sylw i gyd. Prin y cododd ei ben pan oedd Ari wrthi'n ymosod ar y ffenest.

Safodd Ari ar ei draed eto a dechrau chwilio am arf gwell na'r bwrdd bach i'w daflu at y ffenest. Roedd 'na wardrob fawr yn y stafell. Aeth ati i geisio'i symud.

'Helpa!' gwaeddodd ar Cai.

Cododd hwnnw ei ben heb symud o'r fan lle roedd e'n gorweddian ar draws gwaelod un o'r gwelyau.

'Pawb 'no chi! Helpwch!' gorchmynnodd Ari.

'Symudwn ni byth mo honna,' protestiodd Lara.

Ond doedd dim troi ar Ari. Bachodd y sgwaryn plastig o law Cai.

'Oi!' gwaeddodd hwnnw, a cheisio bachu'r tegan bach yn ôl.

Daliodd Ari'r peth uwch ei ben: 'Ddim ond os helpi di fi!'

Cytunodd Cai wysg ei din, a rhoddodd Ari'r sgwaryn yn ôl iddo. Stwffiodd Cai e'n drafferthus i boced ei drowsus tyllog. Wrth iddo wneud, disgynnodd papur arian wedi'i sgrwnsio allan o'i boced.

Glaniodd troed Ari arno cyn i Cai gael cyfle i'w fachu'n ôl. Papur ugain punt!

'O ble cest ti hwnna?' ebychodd Nel yn anghrediniol wrth sylwi ar yr arian yn llaw Ari.

'O'r tŷ,' cyfaddefodd Cai'n bwdlyd. 'O'dd Mam wedi'i adael e wrth y nodyn adawodd hi.'

'O'dd dim byd wrth y nodyn!' dadleuodd Nel.

'Wel, o'dd!' mynnodd Cai. 'Hwnna.'

'Ac fe ddwgest ti fe…?' Bron nad oedd Ari'n credu ei glustiau. Yr holl drafferth roedden nhw wedi'i chael dros yr wythnos oedd wedi mynd heibio ers i'w fam fynd. Yr holl grafu ceiniogau i roi bwyd yn eu boliau, a phumpunt i Cai gael mynd ar y trip! Gallai Ari fod wedi tagu ei frawd bach.

'Ddim dwgyd,' dechreuodd Cai egluro. 'O'n i'n cadw fe er mwyn rhoi sypréis i chi.'

'A pryd o't ti'n meddwl rhoi'r sypréis 'ma i ni?' meddai Ari â min ar ei lais.

Edrychodd Cai ar y nenfwd wrth geisio meddwl. 'Ym… Dolig?' mentrodd.

Rhythodd Ari ar Cai heb allu dweud gair. Nel oedd pia'r llaw darodd Cai ar ganol ei drwyn.

'Awwww!' sgrechiodd hwnnw dros y lle.

Sgrwnsiodd Ari'r papur ugain punt a'i roi yn ei boced ei hun. Doedd dim pwynt iddo weiddi ar Cai. Go brin fod ei frawd bach yn gwirioneddol ddeall gymaint o wahaniaeth i'w deiet y byddai'r darn papur porffor a llun hen ddynes arno fe wedi'i wneud dros y dyddiau diwetha.

O leia gallai Ari gysuro'i hun nad oedd ei fam wedi bwriadu mynd â'u gadael cweit mor dlawd ag oedden nhw'n ei feddwl. A doedd holl arian y byd ddim yn mynd i'w cael nhw allan o'r twll roedden nhw ynddo fe beth bynnag. Edrychodd ar y wardrob fawr yn syllu i lawr arno: doedd honno ddim yn mynd i'w cael nhw allan chwaith.

'Mags!' ebychodd Lara wrth i'r drws agor a chau pan ddychwelodd Mags sawl awr yn ddiweddarach. Doedd hi ddim yn edrych fawr gwaeth. Ychydig bach yn flinedig efallai, ond ar y syms y byddai'r bai am hynny.

'Beth oedd raid i ti neud?' holodd Nel.

'Cyfri rhent pob un o'i fflatie fe,' dechreuodd Mags egluro ar ôl disgyn ar ei hyd ar y gwely.

'Cant tri deg naw a hanner,' meddai Cai.

'Cant tri deg naw o fflatie,' cywirodd Mags. 'Ac un o'r tenantied yn talu hanner yn egstra ar ben y rhent am bod 'dag e gi. Wedyn lluosi gyda phedwar i weld faint o rent mae e'n gael bob mis, a wedyn gyda deuddeg i weld faint o rent mae e'n gael bob blwyddyn.'

'Faint?'

'Dw i ddim yn cofio, oedd e'n rhif mor fawr,' meddai Mags. 'A dim cyfrifiannell o fath yn y byd!' Roedd yr holl syms yn amlwg wedi codi mwy o ofn ar Mags nag oedd Jeremy wedi'i wneud. 'Ac mae e isie i fi neud rhagor fory,' meddai'n ddiflas. 'Cyfri'r holl bethe fydd e'n gallu osgoi talu treth arnyn nhw a rhannu'r gweddill gyda dau ddeg! Dw i'n *casáu* syms rhannu!'

'Ble oedd Jeremy yn ystod hyn?' holodd Ari.

'Yn eiste o 'mla'n i, yn llyncu wisgi fel 'se ddim fory, ac yn canu "Bugeilio'r Gwenith Gwyn" wrtho fe'i hunan. Dyw hi ddim yn hawdd adio cant tri deg naw a hanner o symie at ei gilydd pan mae rhywun yn canu "Bugeilio'r Gwenith Gwyn", alla i fentro gweud wrthot ti.'

Ychwanegodd fod Jeremy wedi cwympo i gysgu wrth ei bod hi'n gorffen. Am amser ceisiodd Mags benderfynu beth oedd orau i'w wneud: mentro'r siswrn ym mhoced tu fewn ei siaced a dianc allan – allan o'r tŷ o bosib, i ddweud wrth rywun fod Jeremy'n eu cadw nhw dan glo – neu ddianc i fyny'n ôl at y lleill. Gallai fod wedi'i daro ar ei ben â'r pot blodau mawr trwm oedd ar ben y ddreser fawr dderw yn y stafell; gallai fod wedi'i ddiarfogi; gallai fod wedi ffonio'r heddlu...

Ond erbyn i Mags orffen y sym a gorffen pendroni beth i'w wneud, roedd Jeremy wedi dihuno unwaith eto, ac wedi saethu ar ei draed.

'Fory, Miss Beth-ti'n-galw, geith y gwaith go *iawn* ddechre! Fe edrychwn ni ar y dreth,' meddai gan blygu'n isel er mwyn iddi orfod edrych arno tra'i fod yn siarad â hi. 'Y dreth!' saethodd tuag ati. Yna, sythodd Jeremy yn llawn gwae, cyn taro'i dalcen â chefn ei law'n ddramatig a'i martsio'n ôl i'r stafell at y lleill.

'Ari!' gwaeddodd Mags nawr, lawn mor ddramatig. 'Bydde well 'da fi *farw* na neud rhagor o syms!'

9

Yn bendant, fyddai'r cynllun ddim wedi gweithio pe bai Wncwl Jeremy'n sobor.

Ers iddo ddangos rai oriau ynghynt ei fod e'n cario siswrn, roedden nhw wedi pendroni'n hir dros ddoethineb ceisio dianc. Y peth ola roedden nhw angen ei wneud oedd ei wylltio, a byddai hynny'n sicr o ddigwydd pe byddai'n eu dal yn dianc o'r stafell wely.

Ond roedd yna ormod o gwestiynau yn gweiddi am gael eu hateb. Pe bai Wncwl Jeremy wedi bod yn un i wylio dramâu teledu i blant, neu ddarllen comics plant, efallai y byddai wedi synhwyro rhyw ddrwg yn y caws ymhell cyn iddo wneud hynny yn y diwedd. Wedi'r cyfan, cynllun sylfaenol, plentynnaidd iawn oedd ganddyn nhw.

'Wnaiff e byth weitho,' meddai Mags, oedd yn agosach at beidio â bod yn blentyn na'r un o'r lleill. 'Dyw Wncwl Jeremy ddim yn dwp.'

'Na'di,' cytunodd Lara. 'Ond mae e'n mynd i'w wely wedi meddwi bob nos.'

Yn fwy na hynny, byddai wedi bod yn cysgu ers awr neu ddwy, ac mae dyn sydd newydd ddeffro o drwmgwsg meddw yn llai tebygol o amau tric y clustogau yn y gwely na dyn sy'n sobor fel sant ac yn effro ers oriau.

Dyna wnaethon nhw. Ceisiodd Ari grafu ei ben am syniad gwell, a chrafu a chrafu fuodd e'n ei wneud drwy'r dydd, ond feddyliodd e ddim am syniad oedd â gwell siawns o lwyddo na'r hyn wnaethon nhw yn y diwedd.

Cnociodd Cai ar y drws. 'Wncwl Jeremy...? Dw i isie mynd i'r tŷ bach.'

'Cnocia'n uwch,' sibrydodd Ari o'r tywyllwch. 'Fydd e'n cysgu'n rhy drwm i glywed.'

Cnociodd Cai nes bod y tŷ'n ysgwyd. 'Wncwl Jeremy!' gwaeddodd nerth esgyrn ei ben. 'Dw i moyn pisho!'

'Os na chlywith e hynna, dw i'n gweud ddylen ni dreial towlu'r gwely drwy'r ffenest,' meddai Mags. 'Fydde 'ny'n gweitho. A gysge fe drwy'r cwbwl.'

'Shsh!' sibrydodd Lara.

Ar hynny, daeth sŵn yr allwedd yn cael ei throi yn y clo, a glaniodd llafn o olau'r landin ar draws gwaelod gwely'r merched. Daeth cysgod fel polyn lamp i sefyll yn y drws.

'Beth chi moyn?' chwyrnodd y cysgod yn sarrug.

'Pisho,' meddai Cai mewn llais bach tawel.

'Dere mla'n 'te,' meddai Jeremy'n ddiamynedd, ond cyn iddo allu gafael yn Cai i'w arwain i gyfeiriad y stafell ymolchi, daeth llais o gyfeiriad gwely'r merched.

'Jeremy-jidl...' meddai Nel.

'Beth wedest ti?'

Camodd Jeremy tuag ati. Disgleiriai golau'r landin ar ei hwyneb a gallai weld fod ei llygaid yn sownd ar gau.

'Jy... jy... jy...' meddai Nel eto gan anadlu allan.

'Ma'i wedi arfer siarad yn ei chwsg.' Cododd Mags ei phen y tu ôl i Nel.

'Hy!' ebychodd Jeremy'n flin a throi allan o'r stafell. Gofalodd gloi'r drws ar ei ôl cyn mynd i hebrwng Cai i'r tŷ bach.

Ni fyddai Mags yn mentro anadlu'n iawn nes y byddai Cai'n ôl yn ei wely'n ddiogel, a Jeremy'n ôl yn ei un yntau, ond gallai gysuro ei hun fod y gobennydd siâp Lara yn y gwely y tu ôl iddi hi a Nel wedi twyllo Jeremy unwaith, a bod y gobennydd siâp Ari yr ochor draw i lle roedd Cai wedi bod yn gorwedd wedi'i dwyllo hefyd.

Pan anelodd Jeremy draw i weld beth oedd Nel wedi'i ddweud wrth siarad yn ei chwsg – cwsg effro iawn mewn gwirionedd – roedd Ari a Lara, a fu'n cuddio y tu ôl i'r drws agored, wedi sleifio allan gan blygu yn eu cwrcwd heibio i Cai, a safai yn y golau.

Ar ôl dianc o'r stafell, roedden nhw wedi mynd i mewn i'r stafell drws nesa a llechu yno nes clywed Jeremy'n dychwelyd i'w wely ar ôl hebrwng Cai yn ôl i'w wely yntau.

Roedd pob perygl y byddai Jeremy, wrth iddo ddod i mewn i'r stafell yr eilwaith, yn edrych yn agosach ar y lympiau llonydd yn y ddau wely a gweld drosto'i hun nad Ari a Lara oedden nhw, a byddai hynny'n ddigon i dynnu'r to i lawr am eu pennau, a'r siswrn at eu gyddfau.

Ond wnaeth e ddim. Gwrandawodd Ari a Lara'n astud ar yr allwedd yn cloi ar ôl i Cai fynd yn ei ôl i mewn a thip-tap traed Jeremy'n dychwelyd i'w stafell wely yn uwch i fyny'r grisiau. Prin y gallai Ari gredu eu bod nhw wedi llwyddo i'w dwyllo mor hawdd. Cofiodd eiriau Lara am ei mam: mae'n hawdd twyllo rhywun sy'n barod i gael ei dwyllo.

Arhosodd y ddau yn y stafell dywyll nes clywed clic fechan drws stafell wely Jeremy'n cau uwch eu pennau. Yna, yn araf bach, agorodd Ari'r drws.

Roedd hi'n dywyllach byth ar y landin, a chymerodd Lara ac Ari eu hamser i symud fesul modfedd ofalus ar draws y landin at ben y grisiau, rhag i'r distiau o dan eu traed wichian a'u bradychu. Anelodd y ddau i lawr gan afael yn y canllaw, a chan symud fesul modfedd unwaith eto. Roedd y grisiau cadarn Fictorianaidd yn hynod o ddistaw ar y cyfan, ond roedd yn rhaid bod yn ofalus: un wich fach a byddai'r cyfan ar ben. Po bella i lawr y bydden nhw'n mynd, hawsa yn y byd fyddai camu heb ofni bod y pren o dan eu traed yn mynd i dynnu sylw Jeremy at eu presenoldeb. Ac ar ôl cyrraedd gwaelod y grisiau, roedd hi'n llawer haws cerdded ar y teils yn y cyntedd.

Y bwriad syml oedd agor y drws a dianc allan i alw'r heddlu, a byddai'r rheiny'n arestio Wncwl Jeremy am eu cadw nhw dan glo. Syml!

Neu o leia, roedd e'n swnio'n syml. Doedd gan Ari ddim rhyw lawer o ffydd y byddai'r allwedd yn nhwll y clo – yn benna am iddo weld Wncwl Jeremy'n ei chadw ym mhoced ei wasgod ar ôl iddo gloi'r drws pan gyrhaeddon nhw'r twll lle yma.

Ond o fethu â dod o hyd i'r allwedd, cynllun rhif dau

oedd agor ffenest a mynd allan drwyddi. Beth allai fod yn haws?

'Oes 'na bwynt i ni chwilo am yr allwedd? Beth am ddiengyd drwy'r ffenest ar unwaith?' sibrydodd Ari yng nghlust Lara.

Yr eiliad nesa, daeth sŵn crafiad metel o gyfeiriad y...

'Seler! Mae'n rhaid bod yna seler 'ma wedi'r cyfan!' sibrydodd Lara'n gyffrous.

Gwelodd Ari ei llygaid yn fawr o'i flaen, yn llawn gobaith. Cnôdd ei wefus. Roedd yn gas ganddo ddewisiadau, ac roedd dewisiadau anodd yn gasach fyth. Ar y naill law, roedd ffenest a dihangfa a dod o hyd i help i ryddhau'r lleill o gaethiwed Jeremy.

Ar y llaw arall, roedd seler dywyll, yn llawn llygod.

'Falle...' dechreuodd Lara, ac unwaith eto, fe fethodd â gorffen y frawddeg.

Roedd Ari'n gwybod yn iawn na allai beidio â mynd i edrych i'r seler. Ond beth os nad oedd mam Lara yno? Beth os taw siom oedd yn aros Lara yn yr ogof ddu o dan eu traed?

Siom, a llond seler o lygod mawr.

'Iawn, beth am i ni wrando am damed bach?' awgrymodd Ari.

Dechreuodd eistedd ar y teils, a gwnaeth Lara yr un fath.

Rhaid bod deng munud dda wedi pasio cyn iddyn nhw glywed sŵn. Yr un fath â'r tro diwetha, sŵn taro pell, taro metel: unwaith, dwywaith, tair. Ac roedd e'n llawer agosach erbyn hyn. Yn union fel pe bai rhywun yn ceisio tynnu eu sylw…

Cododd Lara ar ei thraed, wedi'i chynhyrfu drwyddi. Cododd Ari ati, a rhoi ei law ar ei braich i'w thawelu.

'*Mae* 'na seler 'ma,' sibrydodd Lara'n gynhyrfus. 'Ond ble ma'r drws? Rhaid i ni ddod o hyd i'r drws.'

Tra oedd hi'n gallu dychmygu fod ei mam wedi'i chloi yn y seler oddi tani, led dyfnder y llawr oddi wrthi, gallai obeithio nad oedd Jeremy wedi'i lladd hi wedi'r cyfan.

'Dere!' sibrydodd Ari. 'Dechreua chwilo.'

'Chwilo am beth?' holodd Lara.

'Dim syniad,' cyfaddefodd Ari. 'Ond ma'n rhaid fod rhyw ffordd lawr 'na. Drycha am baneli rhydd, neu switsys, neu…'

Doedd ganddo fe ddim mwy o syniad na Lara sut oedd mynd i mewn i'r seler.

Agorodd Ari ddrws y twll dan grisiau yn y tywyllwch a chael llond ei wyneb o lwch. Estynnodd ei freichiau a'i ddwylo o'i flaen. Yn ôl yr hyn roedd e'n gallu ei deimlo â'i fysedd, roedd llond y cwtsh bach o hen hwfers a theclynnau amrywiol a thrugareddau ar gyfer y tŷ nad oedd neb yn y tŷ hwn â diddordeb eu defnyddio, a gwe a llwch oedd yn bygwth gwneud iddo disian. Gafaelodd yn ei drwyn a chau'r drws. Penderfynodd edrych am ffordd i'r seler ym mhob man arall yn gynta: allai e ddim fforddio tisian dros y tŷ.

Dechreuodd wrth ddrws y ffrynt. Symudodd yn raddol dros y teils, a'i fysedd yn chwilio am deilsen fwy rhydd na'r lleill. Yna, rhedodd ei law dros y sgertin a'r paneli ar y wal, a'r wal uwchben wedyn, rhag ofn mai swits oedd yn agor pa bynnag agoriad oedd yn arwain i'r seler.

Dim byd.

Gwnaeth Lara yr un fath ym mhen arall y cyntedd, gan ddibynnu ar ei chyffyrddiad yn fwy na'i golwg gan mai ychydig o olau a ddôi i mewn o'r stryd drwy wydr patrymog drws y ffrynt.

Aeth Ari ati i godi'r mat mawr a orchuddiai ben pella'r cyntedd. Rhedodd ei fysedd ar hyd y teils oddi tano a thybiodd iddo deimlo rhigol rhwng y teils o dan ei gyffyrddiad: oedd, roedd siâp sgwâr yn y teils, yn union fel pe bai trapddor yn y llawr.

Ond roedd y llawr yn hollol wastad a dim bwlyn na bachyn na dim i'w dynnu neu ei droi a fyddai'n codi'r trapddor. Cododd Ari ar ei draed i egluro'r hyn roedd e wedi'i ddarganfod yng nghlust Lara. Teimlodd ei chyhyrau hi'n tynhau.

'Paid â gobeithio gormod,' rhybuddiodd Ari hi. 'Falle taw dim ond peipie y'n nhw wedi'r cyfan.'

A beth bynnag, doedd dim smic wedi dod o gyfeiriad y seler ers iddyn nhw ddechrau chwilio am yr agoriad gryn dipyn o amser yn ôl bellach.

'Teimla'r wal, y panel pren... rhaid bod rhyw swits yn agor y trapddor,' sibrydodd Lara i glust Ari.

'Beth os taw allwedd sy'n ei agor e?' holodd Ari wrth i'r posibilrwydd ei daro. Byddai'r allwedd yn ddiogel ym mhoced gwasgod Jeremy gydag allwedd drws y ffrynt, neu ym mhoced ei byjamas, a dim gobaith o fath yn y byd gan neb o'i dwyn.

'Edrycha ta beth,' meddai Lara.

Aeth yntau ati'n wangalon i redeg ei fysedd dros y wal. Glaniodd ei law ar banel y switsys golau, ac ystyriodd wasgu un i ddod â golau i'r cyntedd. Ar fin gwneud hynny oedd e pan sylweddolodd fod tri swits yn y panel: dau gyffredin, ac un arall a deimlai'n fwy fel botwm na swits golau.

Bu bron â'i wasgu – cyn pwyllo: beth petai'r trapddor yn gwichian dros y tŷ wrth ei agor gan fygwth denu Jeremy, a'i siswrn, i lawr atyn nhw?

Yna, clywodd y ddau lais o bell – doedd e ddim yn glir o gwbwl, ac roedd hi'n amhosib gwybod beth oedd e'n ei ddweud. Ond llais oedd e, a dôi o'r ochor arall i'r trapddor yn y llawr.

'Mam!' meddai Lara, er na fedrai Ari ddweud ai llais dyn neu lais dynes oedd e hyd yn oed.

'Bydd raid i ni agor drws y trapddor,' mynnodd Lara wedyn, a gwelodd Ari nad oedd ganddyn nhw ddewis bellach ond gwasgu'r botwm ac agor y trapddor.

Gwichiodd y metel gan swnio'n fyddarol yng nghlustiau'r ddau, er y gwydden nhw hefyd y byddai'n rhaid i Jeremy fod wedi gwrando'n astud iawn i'w glywed, dri llawr i fyny. Llonyddodd Ari a Lara, a delwi am rai eiliadau i wrando am sŵn drws Jeremy'n agor.

Chlywon nhw ddim byd, dim ond sŵn llais yn mwmian i lawr yn y seler.

Teimlodd Ari am y stepiau oedd yn arwain i lawr o'r trapddor, ac yn araf bach gwnaeth ei ffordd i lawr ar hyd-ddynt. Dilynodd Lara. Roedd hi fel y fagddu yn y seler, ond fe wyddai'r ddau fod rhywun arall yno, yn methu dweud mwy na 'Mmmm'. Rhaid mai dyma'r llais roedden nhw wedi'i glywed cyn iddyn nhw agor y trapddor. Doedd ryfedd yn y byd na allen nhw glywed y geiriau – doedd dim geiriau. Rhaid bod gan bwy bynnag oedd yno rwymyn am ei cheg.

'Bydda'n ofalus, Lara,' sibrydodd Ari wrth Lara.

'Mmm!' meddai'r llais, a mwy o gyffro i'w glywed ynddo'r tro hwn.

Anelodd Lara am y llais, a chwifiodd Ari ei law uwch ei ben i weld a ddôi o hyd i gortyn a fyddai'n cynnau golau. Roedd y nenfwd yn isel ac roedd pen Ari bron iawn yn ei gyffwrdd wrth iddo sefyll yn syth: byddai'n rhaid i Jeremy fod yn ei ddau ddwbwl i allu symud o gwmpas i lawr yma.

Glaniodd llaw Ari ar fylb yn y to – dyna gadarnhau fod golau'n bosib, ond ble roedd y swits neu'r cortyn?

'Mam...?' holodd llais ofnus Lara, a'r eiliad nesa roedd Ari wedi dod o hyd i'r cortyn ac wedi'i dynnu.

Bu bron iddo ddisgyn ar ei hyd ar lawr yn ei syndod wrth iddo nabod y ddynes oedd wedi'i chlymu'n sownd mewn cadair a rhwymyn dros ei cheg.

'Mam!' ebychodd Ari, yn methu â chredu ei lygaid.

10

Yr eiliad wedyn roedd Lara wedi rhedeg i ben arall y seler, lle gorweddai rhywun arall yn fwndel difywyd ar lawr yn y gornel, a rhaffau am ei breichiau hithau hefyd, a rhwymyn am ei cheg.

Doedd dim amheuaeth y tro hwn: 'Mam,' llefodd Lara wrth afael ynddi.

Erbyn hynny, roedd Ari'n datod y clymau ar y rhaffau oedd yn dal ei fam yntau'n sownd.

'Mmm!' protestiai ei fam, a sylweddolodd Ari mai eisiau iddo ddatod y rhwymyn am ei cheg yn gynta oedd hi.

Fuodd e fawr o dro'n gwneud ac yna rhoddodd goflaid anferth i'w fam.

'O, 'nghariad i!' ebychodd honno. 'O, Ari!'

Dechreuodd Ari ddatod y clymau am arddyrnau ei fam, ond stopiodd Carys e rhag gwneud.

'Paid! Mae'n rhy beryglus!' meddai. 'Galle fe ddod lawr 'ma unrhyw funud.'

'Mae'n iawn, mae e'n cysgu'n drwm, Mam,' dadleuodd Ari, ond doedd ei fam ddim yn gwrando.

'Sdim dal arno fe,' meddai â'i llais yn crynu ar ôl cael rhwymyn ar ei cheg ers cyhyd. 'Ac os gwelith e ti, fe alle fe dy ladd di…'

'Mam…' dechreuodd Ari ddadlau, ond roedd hi'n dal ei dwylo rhagddo fel na allai ddatod y clymau.

'Ble ma'r lleill?' gofynnodd ei fam yn bryderus.

'Lan stâr yn cysgu,' meddai Ari, a gwnaeth hynny ei fam yn fwy pendant nad oedd hi eisiau i Ari dynnu'r rhaffau am ei breichiau.

'Mae'n rhy beryglus,' meddai, 'a do's dim ffordd gallen ni gario Menna lan o 'ma heb iddo fe ddihuno a'n dal ni.'

Edrychodd Ari draw at fam Lara. Roedd golwg lawer gwaeth arni hi nag ar ei fam. Roedd Lara wedi llacio'r rhwymyn am ei cheg, ond roedd yr ymdrech i siarad fel petai'n drech na hi.

'Rhwng byw a marw os ti'n gofyn i fi,' sibrydodd Carys wrth Ari wrth iddi ddilyn ei edrychiad.

'Beth wyt *ti*'n neud 'ma?' holodd Ari. Roedd cymaint o gwestiynau i'w hateb, a doedd gan Ari ddim syniad ble i ddechrau gofyn.

Ond roedd Carys am wneud yn siŵr ei bod hi'n ddiogel iddi siarad cyn gwneud hynny.

Gorchmynnodd i Ari gau'r trapddor a diffodd y golau. Ceisiodd Ari ddadlau, ond roedd Lara hefyd yn gweld rhesymeg Carys. Byddai'n rhaid i Ari a Lara guddio pe bai Jeremy'n digwydd dod i lawr, ond roedd posib gwneud hynny'n eitha didrafferth gan fod y seler yn llawn hen focsys a phentyrrau o lyfrau a chelfi llychlyd.

Gwnaeth Carys yn siŵr fod Ari a Lara'n ddigon agos i'r cwpwrdd dillad fel y byddai'n eu cuddio pe dôi sŵn a ddynodai fod y trapddor yn cael ei agor. Mynnodd fod Ari'n codi'r rhwymyn yn ôl i'w cheg, ond heb fod wedi'i glymu'n dynn fel ei bod hi'n gallu siarad, cyn dechrau dweud ei stori.

Wythnos ynghynt, fe ddeffrodd Carys ar lawr y parlwr yng Nghoed Helyg, yn sâl fel ci ar ôl dyddiau o yfed. Roedd y plant wedi mynd i'r ysgol ac fe ddaeth rhyw benderfyniad newydd drosti.

'Fe sylweddoles i fod rhaid i fi ddewis, a taw 'newis i o'dd e: nid un neb arall.'

Doedd ei chlywed yn siarad fel hyn ddim yn newydd i Ari, ond fel pob tro arall, gadawodd iddi fwrw ei bol.

'Os o'n i'n cario mla'n i yfed, fe gollen i bob dim. 'Yn iechyd, 'y mywyd hyd yn oed. Ac yn wa'th na dim, fe gollen i chi'ch pedwar.'

'Fe wnest ti i fi addo 'yn bod ni'n aros gyda'n gilydd,' meddai Ari gan blygu ei ben.

'Do, siŵr o fod,' meddai Carys. 'A beth oedd yn rhaid i fi neud oedd newid. Stopio yfed, trio neud bywyd i ni'n pump. Ond o'dd hynny i weld mor anodd heb help.'

Cnôdd Ari ei dafod rhag dweud, fel pob tro o'r blaen, y gallai'r pedwar ohonyn nhw ei helpu.

'Byddech chi wedi helpu, wrth gwrs,' dechreuodd Carys wedyn, fel pe bai hi wedi darllen ei feddwl. 'Ond o'dd isie help ariannol arna i hefyd, i dalu'r holl ddyledion, i allu dechre o'r dechre heb brobleme. Ac o'n i'n gwbod fod Jeremy'n gyfoethog. Wedodd e'r amser fuodd e'n aros gyda ni: os fydden i byth angen help, galle fe roi arian i fi. O'dd hynny wedi bod yn chware ar 'yn feddwl i ers peth amser, ond cario mla'n i yfed wnes i.

'A wythnos diwetha, pan godes i oddi ar y llawr, o'n i'n gwbod fod yr amser wedi dod i neud rwbeth. Ddes i lawr 'ma i ofyn iddo fe a gelen i fenthyg arian i dalu'r bilie a dechre 'da llechen lân. Y bwriad oedd dod gatre atoch chi yr un noson, neu cyn gynted â phosib. Gadawes i neges i chi, a bach o arian i brynu bwyd...'

'Do,' meddai Ari a meddwl am ei frawd bach hanner call a dwl.

'A fodies i'n ffordd i Gaerdydd, 'da'r bwriad o ofyn iddo fe am fenthyciad.'

'Ac fe dowlodd e ti i lawr i'r seler...?' holodd Ari'n anghrediniol.

'Gad i fi weud,' meddai ei fam i'w dawelu. 'Ddes i 'ma, ac fe wahoddodd e fi i fewn, yn neis reit, fel mae Jeremy'n gallu bod. Ac fe aeth e i neud cwpaned o de i fi a 'ngadael i'n eiste yn y parlwr. Wedyn, pan aeth e mas i neud te, glywes i'r sŵn 'ma'n dod o lawr stâr, rwle lawr o dan 'y nhraed i. Sŵn llais o bell. A beth wnes i, wrth gwrs, o'dd rhedeg mas i'r cyntedd i wrando. 'Na ble o'dd Jeremy wrthi'n cau'r trapddor – rhaid bo fi wedi cyrr'edd cyn iddo fe ga'l cyfle i'w gau e'n iawn. Ddechreuodd e weud rhwbeth am y bobol drws nesa a rhyw rwtsh fel 'ny. Nawr, o'dd 'da fi ddim syniad bod Jeremy wedi priodi hyd yn oed. Roies i'r argraff iddo fe bo fi'n credu'i stori fe. Ac o'n i ar fin mynd mas – mas i chwilo'r heddlu neu rwbeth, dw i ddim yn gwbod – pan stopodd e fi. Rhaid ei fod e'n gwbod bo fi wedi clywed gormod, bo fi wedi clywed y llais yn y seler, achos erbyn i fi gyrraedd y drws o'dd e wedi gafael yndda i, ac o'dd 'da fe gyllell. Wthiodd e fi i lawr fan hyn, a dyma lle dw i wedi bod. A chyn gynted â ddes i lawr 'ma, gwrddes i â Menna.'

Bellach, roedd Menna'n gorwedd yn fwy cysurus ar ôl

i Lara ei helpu i godi. Roedd hi fel petai'n gwrando, ond roedd golwg go bell arni hefyd.

'Rywben, y rhan fwya o ddiwrnode, mae e'n penderfynu towlu sgrapyn o fara neu hanner potel fach o ddŵr lawr 'ma, yn gwmws fel 'se fe isie i ni farw o syched, ond ddim cweit â'r gyts i adael i ni neud 'ny.'

'Mam fach,' ebychodd Ari.

'Ar y dechre o'n i'n rhegi'r dŵr am beido â bod yn jin. Ond erbyn hyn, ry'n ni'n dwy mor sychedig, dw i'n cadw breuddwydio am raeadre o ddŵr – a dw i byth moyn gweld potel jin arall tra bydda i.'

Gofynnodd Carys i Ari beth oedd wedi'u tynnu nhw yma, ac eglurodd yntau'r holl stori. Dywedodd amdani'n yngan enw Jeremy yn ei meddwdod a gwneud iddo feddwl falle y gallen nhw fyw gydag e er mwyn aros gyda'i gilydd; am y daith ar y trên; am y 'croeso' gawson nhw gan eu Hwncwl Jeremy; am ei dwyll.

'Sneb cystal â Jeremy am dwyllo,' daeth llais Menna ar draws y tywyllwch. Swniai'n wan iawn. Ond o leia roedd hi gyda nhw o hyd.

Yna, roedd Lara wedi dod i benderfyniad. 'Dw i'n mynd i chwilo am help,' meddai. 'Fe af i mas rywffordd a mynd i chwilo am yr heddlu.'

'Ti moyn i fi fynd?' holodd Ari.

'Na, fydde'n well i ti aros. Ti yw'r cryfa o bawb sy 'ma, falle bydd angen i ti warchod y lleill.'

Helpodd Ari Lara i ddringo'n ôl at y trapddor. Cyn ei agor, siarsiodd hi i gymryd gofal a cheisio mynd allan mor ddistaw ag y gallai rhag cael ei dal.

Gwthiodd Ari'r trapddor oddi wrtho, ond doedd e ddim yn symud. Rhaid mai dim ond o'r tu allan roedd e'n agor. Damiodd Ari ei hun am fod mor dwp.

Yna, ymddangosai fod y trapddor wedi agor ohono'i hun, nes i lais Jeremy rwygo'r nos uwch eu pennau.

'He he he he he, llygod bach wedi bod yn busnesa? Wel, wel, wel, beth newn ni?'

Ciliodd Ari a Lara i lawr yn is i'r seler rhag iddo benderfynu anelu cic at eu hwynebau oddi fry.

'Chware cwato yn y seler. Twt twt twt.'

A chaeodd y trapddor yn glep yn eu hwynebau.

O fewn deng munud roedd gweddill y plant wedi cael eu hyrddio'n ddiseremoni i'r seler.

Safai Jeremy yn eu gwylio o ben y stepiau i fyny at y trapddor, a gwên ryfedd ar ei wyneb, fel pe bai gweld yr holl bobol yma'n gafael yn ei gilydd o dan ei reolaeth lwyr e'n rhoi gwefr iddo.

'Wel, wel!' meddai eto. 'Beth wna i 'da chi i gyd?'

Rhaid bod hynny'n broblem bellach – pa mor hir allai e gadw saith o bobol yn ddistaw yn ei seler?

Ond roedd gan Jeremy gynlluniau'n barod.

'Dw i'n gwbod. Gewch chi lwgu. Fydda i wedi mynd o 'ma whap, i ben draw'r byd. On'd o's sbort i'w ga'l? Dim angen prynu gwenwyn. Dim angen dwyno llafn y siswrn. Jyst... 'ych gadael chi i gyd 'ma. Pert. Pert ar y diawl. Gewch chi i gyd fynd ar ddeiet. A fydda i mas yn… lle dw i'n mynd? O ie, mas yn Feneswela. Nawr bo chi i gyd wedi sboilo popeth, 'na lle dw i'n mynd. Draw i Feneswela. Mae tŷ 'da fi 'na, o'ch chi'n gwbod? Brynes i fe dros y we. We-hei! Sdim byd fel y we, mynd â chi i bob man yn y byd. Edrych fel lle bach pert. Jyst y lle i gadw mas o ffordd heddlu'r wlad 'ma. Ymddeol i Feneswela, 'na beth dw i am neud.' A dechreuodd ganu: 'Rit-ei-ro i Fen-es-*we*-la, ym-dde-ol i Gara-*cas*! *Hola*!'

'Ti off dy ben!' gwaeddodd Ari arno.

'Odw i…?' gwenodd Jeremy arno. 'Wel, dw i'n dda am ddala llygod, weda i 'ny. Eu gadael nhw i starfo, 'na beth wnaf i. Mynd â'u gadael nhw. Ac erbyn i rywun ddod ar eu traws nhw, fyddan nhw i gyd wedi marw.'

Trodd yn ôl am y sgwaryn o fwlch oedd rhyngddyn nhw a rhyddid, gan ddal i barablu dros ei ysgwydd.

''Na i gyd o'n i moyn o'dd llonydd. Menyw ufudd, a llonydd. 'Na i gyd. Ond do's dim y fath beth â gwraig fach ufudd dyddie 'ma.' Trodd at Menna. 'Gallet ti fod wedi cau dy geg yn y dechre a diodde'n dawel. Bydde 'ny wedi arbed dy fywyd di yn y pen draw. Rhy hwyr nawr!'

Caeodd y trapddor yn glep ar saith wyneb llawn gofid. Tynnodd Carys ei phedwar ati, a gafaelodd Menna mor dynn ag y gallai yn Lara â'i breichiau gwan, a'i thynnu i'w choflaid.

11

'Mae hi ar ben,' llefodd Nel.

'Pwy ar ben?' hyffiodd Ari, gan ddatglymu'r rhwymau am freichiau a choesau ei fam. 'Pryd wedodd neb bo ni'n rhoi'r ffidil yn y to? So ni wedi dod mor bell â hyn i roi'r gore iddi. Dewch. Cynllun, 'na beth sy isie. Cynllun iawn.'

'Cynllun neith weitho tro 'ma,' cynigiodd Mags yn ddigalon.

'Gallen ni weiddi,' cynigiodd Cai. 'Mae saith o leisie'n well na dau.'

'I beth?' holodd Lara'n drist. 'Do's dim cymdogion 'da ni i glywed.'

'I fynd ar ei nerfe fe?' cynigiodd Cai, oedd yn arbenigwr ar fynd ar nerfau ei frawd a'i ddwy chwaer.

'Falle fod 'na ffordd mas,' meddai Ari a'i feddwl unwaith eto ar waith.

'Gobeitho wir,' meddai Mags yn oeraidd. 'Fel arall, fydd raid i ni ddewis pa un ohonon ni sy'n mynd i ga'l ei fyta gynta.'

'Cai yw'r lleia,' meddai Nel.

'Fi ddyle fod yn ola 'te,' meddai Cai. 'Achos os ni'n byta rywun, wa'th iddo fe fod yn rhywun mawr, er mwyn iddo fe fod werth e. Rhywun mawr fel Mags neu Ari.'

'Ei, beth amdano fi?' meddai Carys. 'Dw i'n fwy na Mags ac Ari.'

'Ych,' meddai Nel. 'Sa i moyn dy fyta di. Sa i'n lico blas jin.'

Chwarddodd y pump, oedd wedi arfer â hiwmor du Coed Helyg.

Syllodd Lara a'i mam ar y pump ohonyn nhw â'u cegau led y pen ar agor.

Cododd Carys ar ei thraed ac ymestyn ei breichiau ar led. Gwingai gan y boen a gâi o wneud hynny ar ôl wythnos o fod wedi'i chlymu. Yr unig adegau y câi hi neu Menna eu gollwng yn rhydd oedd pan ddôi Jeremy i lawr, ychydig cyn iddo fynd i'w wely fel arfer, i fynd â nhw i'r tŷ bach yng nghornel bella'r seler, yr ochor draw i'r hen gwpwrdd dillad a'r silff lawn llyfrau. Rhaid oedd i'r ddwy ddiodde drwy'r dydd nes hynny, er bod hynny'n mynd yn haws wrth i Jeremy 'anghofio' eu bwydo a rhoi dŵr iddyn nhw.

Ceisiodd Lara gymell ei mam i godi ar ei thraed, a'i helpu drwy roi ei hysgwydd i Menna bwyso arni, ond roedd hi'n rhy wan i godi.

Roedd Ari wedi mynd i drwyna yn y llyfrau llychlyd. Nid edrychai'n debyg fod dim byd yno oedd wedi'i gyhoeddi'n fwy diweddar na phumdegau'r ganrif ddiwetha. Gwelodd fod ambell lyfr antur i blant yno – pethau Saesneg fel *Treasure Island* a *Wind in the Willows*. Ceisiodd Ari gofio a oedd unrhyw beth a gofiai yn nofel

Robert Louis Stevenson a allai eu helpu i ddod allan o'r trwbwl roedden nhw ynddo.

'Os fydde fe'n dod lawr eto, gallen ni gynllunio ffordd o'i drechu fe,' meddai Carys. 'Galle Ari a Mags guddio a'i daro fe 'da darn o bren o un o'r celfi 'ma...'

'"Os" yw'r gair allweddol yn y frawddeg 'na,' meddai Ari gan droi tudalennau llyfr arall oedd yn bygwth gwneud iddo disian gan fod cymaint o lwch yn cael ei ryddhau wrth iddo wneud hynny. 'Dyw e ddim yn debygol o ddod lawr 'ma eto.'

'Beth petaen ni'n gweiddi?'

'Wneith e ddim gwrando, ac mae e'n gwbod yn iawn na fydd neb yn clywed.'

Doedd Ari ddim am ladd dyhead ei fam i ddianc, ond roedd e'n gwybod na chaen nhw gyfle i wneud hynny gan Jeremy. Byddai'n rhaid meddwl am ffordd na fyddai'n cynnwys ceisio denu Jeremy i lawr yma. Doedd e ddim yn dwp: fe fyddai'n gwybod yn iawn y byddai yna saith o niwsansys dialgar i lawr yn y seler yn barod i gnoi ei figyrnau'r eiliad y dôi e i'w cwfwr nhw. Nawr ei fod e wedi gwneud ei benderfyniad, doedd e ddim am gynnig llygedyn o obaith iddyn nhw. Byddai ei anallu i gerdded y llwybr dieflig i'r pen a lladd y ddwy yn ei seler bellach wedi troi'n benderfyniad i'w gadael nhw i gyd i farw er mwyn achub ei groen ei hun, a byddai ar ei ffordd i Feneswela ymhen dim.

'Os na fydden ni wedi dod...' dechreuodd Mags. Roedd hi'n amlwg yn poeni am hyn. 'Os na fydden ni wedi ymyrryd, falle bydde Jeremy wedi'ch gadael chi'n rhydd erbyn nawr.'

‘Shwt alli di weud hynny?’ meddai Carys yn llawn syndod. ‘Fydde Jeremy byth wedi’n gadael ni’n rhydd. Y peth cynta fydde Menna a fi wedi’i neud fydde mynd at yr heddlu, ac roedd e’n gwbod hynny’n iawn.’

‘Ond roedd e’n dal i’ch bwydo chi,’ mynnodd Mags. ‘Rhaid ei fod e am eich cadw chi’n fyw. A wedyn, pan gyrhaeddon ni, fe benderfynodd e adael i chi lwgu.’

‘Fydde fe wedi magu digon o hyder yn y diwedd i ddod i’r un man yn gwmws,’ cysurodd Carys hi. ‘Fydde Jeremy byth wedi’n rhyddhau ni. Ma ’da fe ormod i’w golli.’

‘Byth,’ ategodd Menna’n wan.

Gorweddai wrth ymyl Lara a golwg ddigon tila arni. Gwyddai Ari y byddai’n rhaid iddyn nhw geisio dianc o fewn yr oriau nesa, neu pwy a ŵyr pa siâp fyddai ar Menna.

‘Fe fwrodd e fi…’ dechreuodd Menna eto, a phrin y gallai’r plant ddeall y geiriau.

Dyna pryd y sylwodd Ari ar y cleisiau mawr melyn ar ei hwyneb.

‘Fe dorrodd e ’nhrwyn i…’ meddai Menna. ‘A ’ngên i…’

Gallai Ari weld nawr: roedd wyneb Menna wedi chwyddo a’r ymdrech i siarad bron â bod yn ormod iddi, a hyd yn oed y gwaith o anadlu’n gwneud dolur.

‘Fydde dyn fel’na byth yn ein gadael ni’n rhydd.’

‘Mochyn!’ ebychodd Mags, yn methu dal.

‘Oni bai amdano chi, fe fydde hi ar ben ar y ddwy ohonon ni,’ meddai Carys.

‘Mae hi ar ben arnon ni ta beth,’ meddai Mags.

Cododd Carys ei breichiau: 'Drycha! Dw i'n rhydd! Am y tro cynta ers wythnos, dw i'n teimlo gallwn ni drechu'r jawl.'

'Shwt? Ni'n sownd. Fel wedodd e, llygod mawr heb unman i fynd.'

'Paid â sôn wrtha i am lygod mawr,' meddai Carys, 'dw i wedi dod yn dipyn o ffrindie 'da dwy neu dair lawr 'ma.'

'Na!' sgrechiodd Mags a rhoi ei dwylo am ei chlustiau, fel pe bai hynny'n mynd i gael gwared ar yr hyn roedd ei mam newydd ei ddweud. 'Afiach!'

'Llai afiach na Jeremy,' meddai Carys. 'A digon defnyddiol ar un ystyr. Fe ddechreuon nhw hela fi feddwl...'

'Ych a fi!' meddai Mags eto, yn methu'n lân â byw yn ei chroen ers deall fod yna lygod mawr yn llechu ym mhob twll a chornel. Tynnodd ei choesau i fyny'n dynn ati ac edrych o'i chwmpas yn wyllt.

'Wel,' meddai Carys. 'Os yw llygod mawr yn gallu dod i fewn, falle fod ffordd allwn ni fynd mas. Nawr, dw i'n credu taw drwy'r tŷ bach maen nhw'n dod i fewn, alla i ddim meddwl am ffordd arall, ond fe fydde hi'n werth i chi edrych.'

Aeth Ari ati'n syth: os oedd twll yn y wal eisoes, byddai'n haws gwneud hwnnw'n fwy na cheisio tynnu toiled cyfan er mwyn torri twll drwodd y ffordd honno – a byddai'n ffordd ychydig bach yn lanach o geisio dianc.

Wrth gerdded o gwmpas yn edrych ar y waliau, gan ddringo dros bentyrrau o sbwriel er mwyn gallu gwneud, sylwodd Ari ar ffenest fach yn y pen pella, yng nghornel ucha'r wal.

Doedd hi ddim mwy na throedfedd a hanner o led a deg modfedd o uchder, a phrin ei bod hi'n gadael unrhyw olau i mewn gan fod tyfiant trwchus yn ei gorchuddio ar y tu allan. Ar ben hynny, roedd y gwydr gwyrdd yn drwchus, a gwythiennau o fetel yn rhedeg drwyddo, fel gwydr drysau tân.

Ar ôl gosod cadair ar ben y darnau o bren a rwbel ar y llawr oddi tan y ffenest, gwelodd Ari fod y fraich i'w hagor wedi torri. Gwthiodd yn ei herbyn â'i holl nerth i geisio gwneud iddi agor, ond ni theimlodd hi'n ildio dim i'w bwysau. Roedd blynyddoedd o fod ar gau, degawdau debyg, ynghyd â'r tyfiant yr ochor draw iddi, wedi'i sodro yn ei lle. Ymdrechodd Carys i'w gwthio'n agored wedyn, heb ddim lwc.

Fyddai hi ddim yn hawdd ei thorri. A hyd yn oed o lwyddo i wneud hynny, wyddai Ari ddim sut roedd unrhyw un ohonyn nhw'n mynd i allu mynd allan drwy fwlch mor gyfyng, a thrwy'r mieri oedd yr ochor arall iddi.

Beth oedd ei phwrpas, doedd gan Ari ddim syniad, ond ar ryw adeg roedd hi wedi cynnig llafn bach o oleuni i dywyllwch y seler, cyn i'r mieri ei rwystro. Tybed oedd hi'n mynd i allu cynnig llafn bach o oleuni iddyn nhw…?

'Eith neb drwy honna,' meddai ei fam.

'Eith Nel a Cai.'

'Ti'n meddwl…? A do's dim dal a lwyddwn ni i'w thorri hi.'

Dechreuodd Ari chwilio drwy rwbel y seler am rywbeth digon cryf i'w hyrddio at y gwydr. Fyddai pren yn dda i ddim. Gallai roi cynnig ar waldio hoelion, ond doedd y gwydr ddim yn mynd i chwalu fel gwydr cyffredin o daro hoelen drwyddo: roedd angen carreg neu ddur.

'Chwiliwch am bethe trwm,' gorchmynnodd i'r plant eraill. 'Unrhyw beth bach a thrwm.'

Aeth Nel a Cai ati i edrych yn y cwpwrdd a than y rwbel. Symudodd Mags droedfedd neu ddwy'n agosach at Lara a'i mam er mwyn rhoi'r argraff ei bod hi'n helpu i edrych ar ôl Menna, rhag iddi orfod mynd yn agos at yr annibendod fyddai'n siŵr ddyn o fod yn cuddio nytheidiau o lygod mawr.

Dechreuodd Ari ddefnyddio darn o bren caled y llwyddodd i'w rwygo oddi ar waelod hen fwrdd i geisio torri'r gwydr, ond doedd hynny ddim yn tycio. Aeth ati gyda'i frawd a'i chwaer i edrych am rywbeth cryfach.

'Rwbeth metel, neu fricsen...'

'Go brin y bydde Jeremy wedi bod mor ystyriol â gadael bricsen lawr 'ma ar ein cyfer ni,' meddai Carys.

Trodd Ari i edrych ar gynnwys y seler a thynnu ei law dros ei geg wrth iddo feddwl. Roedd llond y lle o gelfi pren na fyddai'n cynnig digon o nerth i dorri'r gwydr gwyrdd. Hen gwpwrdd dillad, cadeiriau cegin rhacs, cloc mawr ar ei orwedd, silffoedd llyfrau a môr o lyfrau a llwch...

Dim golwg o fetel, na charreg na dim a fyddai'n gwneud y tro.

'Cloc tad-cu...' meddai Ari wedyn wrth i'w lygaid gael

eu tynnu'n ôl at yr hen anghenfil mawr nad oedd wedi tician ers iddo fod yn gorwedd ar ei hyd fan hyn. Bu'n ddodrefnyn hardd unwaith, yn sgleinio dan bolish a gofal.

Agorodd y drws bach o dan wyneb y cloc, gan deimlo fel llawfeddyg wrth chwilota yn ei berfedd. Ond gwyddai na fyddai gwella ar hwn. Cyffyrddodd ei law â'r hyn roedd e'n chwilio amdano.

Pendil. Un mawr crwn o haearn cadarn – mwy o faint na'i law. Yr union beth i dorri'r ffenest.

'O'r ffordd!' gorchmynnodd i'w fam.

Trodd Carys a gweld beth oedd ganddo yn ei law. Gwenodd yn llydan a chodi ei dwylo at ei cheg yn ei gobaith fod dihangfa wrth law.

Bwriodd Ari'r pendil nerth esgyrn ei fraich at y gwydr, a chafodd ei wobrwyo gan grac a ledodd ar draws y gwydr o un ochor i'r llall. Clec arall, ac roedd crac arall bron cyn hired wedi ymddangos ar hyd y gwydr trwchus. Ymhen dwy neu dair ymdrech wedyn, roedd Ari wedi llwyddo i dorri digon o dwll yn y gwydr iddo fe a'i fam allu ymosod ar y grid o fetel a redai drwyddo ac a dorrai wrth iddyn nhw ei dynnu ar wahân. Yna, gorchmynnodd Ari i'w fam sefyll 'nôl iddo gael torri rhagor ar y gwydr.

Ymhen chwarter awr, roedd Ari wrthi'n llyfnhau'r gwydr gydag ochor ffrâm y ffenest, rhag i Nel a Cai fachu arno a chael cwt wrth fynd allan drwyddi. Gwthiodd y mieri draw oddi wrtho, ond gwyddai y byddai'n rhaid i'w frawd a'i chwaer wthio drwy'r drain eu hunain:

roedd trwch ohono rhwng y ffenest a'r llwybr wrth ochor y tŷ, a gweddill Caerdydd a rhyddid!

'Af i gynta,' meddai Cai.

'Na,' meddai Carys yn bryderus. 'Gad i Nel fynd gynta, mae hi'n hŷn na ti.'

Ac yn gallach, meddyliodd Ari – byddai Cai wedi mynd i ddilyn ei drwyn y tu allan i'r tŷ yn lle aros i'w chwaer ddod allan drwy'r ffenest. 'Nel ddyle fynd gynta,' ategodd. 'Gei di helpu i'w gwthio hi allan,' meddai wrth Cai wedyn i'w atal rhag cwyno.

Tynnodd Nel ei llewys i lawr dros ei dwylo rhag ofn bod darn o wydr yn dal i wthio allan o ffrâm y ffenest.

'Gofalus nawr,' meddai Carys yn ofidus. 'Cerwch ar hyd y stryd i'r pen, lle ma'r stryd fawr a'r siope. Sdim isie i chi siarad 'da neb heblaw bo chi'n bendant y gallan nhw helpu. Cerwch fewn i siop, neu fanc, neu ysgol neu beth bynnag allwch chi weld. Os dw i'n cofio'n iawn, mae 'na siop chwilo gwaith heb fod yn bell o'r gornel. Gwedwch wrth un o'r bobol y tu ôl i'r ddesg beth sy'n mynd mla'n. Gwna'n siŵr eu bod nhw'n ffono'r heddlu, Nel.'

'Wedwn ni bod e'n *emergency*,' meddai Cai'n ddramatig.

Rhoddodd Carys goflaid a hanner i Nel, ac roedd hi'n frwydr iddi gadw'r dagrau yn ei phen, sylwodd Ari.

Dringodd Nel i ben y gadair bren roedd Ari wedi'i gosod o dan y ffenest a thynnu ei hun i fyny.

'Cymer ofal o'r gwydr,' rhybuddiodd Ari hi, a difaru na fydden nhw wedi oedi ychydig funudau'n rhagor i wneud yn berffaith siŵr na fyddai Nel yn cael dolur. Dim ond ffitio drwyddi oedd hi.

'Anadla i fewn,' meddai Ari gan wneud hynny ei hun. Aeth i ben y gadair i wthio ei chwaer wrth iddi ymdrechu i dynnu ei hun drwy'r bwlch bach.

Roedd ar fin estyn ei law i Cai er mwyn iddo gael helpu i wthio Nel. Ond yr eiliad nesa, daeth sŵn gwich gyfarwydd o gyfeiriad y trapddor a delwodd Carys ac Ari wrth iddyn nhw sylweddoli fod Jeremy wedi'i agor eto. Dechreuodd Carys anelu'n ôl at y lleill, lle bu ynghlwm ers wythnos, ond daliodd Ari hi'n ôl.

O'r man lle safai wrth yr agoriad i'r seler, doedd Jeremy ddim yn gallu gweld Ari, Carys, Cai a Nel. Roedd hi'n amlwg wrth i'r eiliadau basio nad oedd fawr o awydd dod i lawr atyn nhw arno. Ond doedd e ddim yn gyfforddus chwaith na allai weld lle roedd pawb, ac roedd ei chwilfrydedd yn ei wneud yn nerfus. Taflodd Ari gipolwg drwy'r ffenest i weld lle roedd Nel arni, a daliodd ei fys at ei geg i'w rhybuddio i beidio â chadw sŵn.

'Cer, ond paid neud smic,' mentrodd Ari sibrwd i'w chyfeiriad, gan bwyntio i ddynodi fod Jeremy wrth y trapddor. Byddai'n rhaid iddi fynd heb Cai, ond efallai fod hynny'n beth da. Roedd gan Nel ddigon o synnwyr cyffredin, sy'n fwy nag y gallai Ari ei ddweud am ei frawd bach.

Efallai mai gorau oll fod Jeremy wedi rhoi ei ben drwy'r trapddor, meddyliodd Ari. Roedd hi'n bwysig tynnu ei sylw oddi wrth y tu allan i'r tŷ er mwyn i Nel gael cyfle i dorri drwy'r drain a dianc. Gwyliodd Ari hi'n gwneud ei ffordd drwy'r mieri – a'i hedmygu am beidio â gwichian wrth i'r cannoedd o fachau bach dorri drwy ei dillad a'i phigo. Byddai'n grafiadau gwaedlyd drosti.

'Ble ma'r lleill?' daeth llais Jeremy i lawr y grisiau.

Daliodd Ari ei fys o flaen ei geg ar Mags a Lara a'i mam: peidiwch â dweud gair.

'Atebwch fi!' gorchmynnodd Jeremy, a'i lais yn ddigon cryf i fygwth tynnu'r nenfwd i lawr am eu pennau. 'Ble maen nhw?!'

Atebodd yr un ohonyn nhw fe eto, ac o'r diwedd fe wnaeth Jeremy'r hyn roedd Ari wedi'i ewyllysio iddo'i wneud, a dechrau dod i lawr y grisiau. Po hiraf y gallai ei gadw i lawr yma, mwya i gyd o amser fyddai gan Nel i ddod o hyd i rywun allai eu helpu. Trwy gornel ei lygad, gwelodd Ari fod Nel wedi codi ar ei thraed y tu allan ac yn dechrau rhedeg yn rhydd.

Roedd Cai wedi dringo i ben y gadair o dan y ffenest, ac yn syllu allan drwy'r drain, yn ysu am gael dilyn Nel.

Edrychodd Carys ar Ari, a gwybod ar unwaith beth oedd ei gynllun. Roedd ei llygaid yn llawn pryder drosto, yn erfyn arno i fod yn ofalus. Camodd tuag ato a sibrwd yn ei glust:

'Paid â neud dim byd dwl, mae help ar y ffordd!'

Daliodd Ari ei law i fyny i'w hannog hi i gymryd cam yn ôl o'r ffordd, o'r golwg. Symudodd Carys ddim: estynnodd ei braich allan tuag ato, a'r olwg benderfynol ar ei hwyneb yn ei orchymyn i estyn y pendil trwm yn ei law iddi hi, i'w atal rhag ymosod ar Jeremy – neu er mwyn iddi hi gael gwneud hynny, pe bai raid.

Ond doedd Ari ddim am ei estyn iddi. Yn un peth, roedd Jeremy'n rhy agos.

Tynnodd Carys Cai yn ddisymwth oddi ar y gadair a'i lusgo i gysgod y cwpwrdd dillad.

'Mmmmffff!' ceisiodd Cai brotestio ond roedd ei fam wedi rhoi ei llaw dros ei geg.

Daeth pen Jeremy, ac yna'i gorff yn ei ddau ddwbwl, i'r golwg rownd y cwpwrdd dillad a chiliodd Carys, mewn pryd o drwch blewyn, i'r cysgod y tu ôl i'r silff lyfrau.

Gwelodd Jeremy'r ffenest a'r gadair oddi tani ar yr union eiliad ag y sylwodd ar Ari.

'Ti'n meddwl galli di ddiengyd, wyt ti? Ble ma dy fam?'

Cododd Ari ei ysgwyddau, gan gadw'r llaw a ddaliai'r pendil y tu ôl i'w gefn.

'Aeth hi ddim mas drwy honna!' pwyntiodd Jeremy at y ffenest. 'Dyw hi ddim hanner ddigon bach. Ble ma'i?'

Wedyn, rhaid ei fod e wedi cyfri eto yn ei ben a sylweddoli fod yna ddwy lygoden fach arall yn rhydd yn rhywle...

'A'r lleill 'na, lle a'thon nhw...?'

Dechreuodd edrych o'i gwmpas eto, a'r tro hwn fe welodd e Carys a Cai yn cuddio, a chamodd tuag at Carys, a'i wyneb wedi crebachu, gymaint oedd ei gasineb.

'Dere 'ma i fi ga'l dy –'

Glaniodd y pendil ar ganol ei dalcen nes ei fod e'n drybowndian. Bron na ddisgwyliai Ari glywed sŵn cloc yn taro deuddeg.

Cymerodd eiliad neu ddwy i Jeremy ddisgyn yn anymwybodol ar lawr.

'Odi fe wedi marw?' holodd Cai'n llawn chwilfrydedd.

'Dewch o 'ma cyn iddo fe ddihuno,' meddai Carys, gan lusgo Ari a Cai gerfydd eu breichiau tuag at y lleill.

'Beth am yr allwedd? Ma'i siŵr o fod ym mhoced 'i wasgod e...' dechreuodd Ari.

'Sdim amser,' gorchmynnodd ei fam. 'Ewn ni mas drwy ffenest os fydd y drws ar glo!' Roedd hi'n amlwg nad oedd Carys eisiau treulio eiliad arall yn seler Jeremy.

Gyda'i gilydd, llwyddodd Mags a Carys i gario Menna allan drwy'r trapddor, tra oedd Ari'n dal yn syfrdan iddo lwyddo i lorio Jeremy.

Wedi iddyn nhw i gyd ddod allan o'r seler, caeodd Ari'r trapddor yn dynn ar eu holau.

Aeth Carys yn syth i ffonio'r ambiwlans i ddod i nôl Menna, ac aeth Lara a Mags â hi i orwedd ar soffa lychlyd y parlwr. Ar ôl siarad am rai munudau â phobol yr ambiwlans i wneud yn siŵr eu bod ar eu ffordd i'r lle cywir, gofynnodd am yr heddlu, er mwyn sicrhau eu bod nhw hefyd yn dod, rhag ofn bod Nel wedi'i chael hi'n anodd dod o hyd i rywun fyddai'n credu ei stori.

'Fuodd e bron â llwyddo,' meddai Lara'n drist gan

edrych ar y fintai o gesys oedd yn sefyll un wrth ochor y llall yn y parlwr, yn llawn o bethau Jeremy ar gyfer ei fywyd newydd yn Feneswela.

Aeth Mags at Ari ar ôl gwneud yn siŵr fod Menna'n gyfforddus. Roedd e'n dal i sefyll y tu allan i'r parlwr a'i droed ar ben y trapddor, fel pe bai e ofn i Jeremy ddod trwyddo eto a'u gorchfygu.

Cyffyrddodd Mags yn ei fraich. 'Ni'n saff nawr,' meddai. 'Ac mae Mam 'da ni.'

'Ti'n meddwl bod hyn wedi bod yn ddigon i'w newid hi?' holodd Ari ei chwaer fawr yn ddiflas. Ar ôl dros wythnos o herio, o wynebu a gorchfygu rhwystrau, roedd Ari'n teimlo fel pe bai pob owns o egni wedi'i sugno ohono.

'Sdim dala,' meddai Mags.

Roedd y drws wedi agor a llond y lle o blismyn yn heidio i bob cyfeiriad gan geisio gwneud synnwyr o'r stori a roddodd Nel ac yna Carys iddyn nhw. Daeth plismones drwy'r drws, a Nel yn gafael yn ei llaw. Roedd ganddi sgratsh ar ei boch lle roedd y drain wedi'i chrafu. Aeth Nel i mewn i'r parlwr at y lleill, ond ni symudodd Ari o lle roedd e, â'i droed ar y trapddor.

'Dere, iddyn nhw ga'l mynd ato fe. Fydd e angen ambiwlans,' meddai Mags.

Rhythodd Ari arni fel pe bai ganddi ddau ben wrth ei chlywed yn awgrymu y dylai Jeremy gael unrhyw help o fath yn y byd.

'Dere.' Gafaelodd Mags yn dyner yn ei fraich a'i hebrwng i'r parlwr llawn pobol. 'Mae e lawr fan'na,' meddai wrth blismon. 'Bydd angen ambiwlans arno fe siŵr o fod.'

Agorwyd y trapddor gan dri heddwas a ruthrodd i lawr y stepiau i'r seler mewn dim o dro.

12

'Wel!' ebychodd Lowri wrth ddod i mewn drwy ddrws ffrynt Coed Helyg, a Mrs Drws-nesa wrth ei sodlau. 'Sôn am gyffro!'

Gwenodd Ari'n denau arni. Doedd e'n dal ddim yn siŵr pa mor driw oedd hi wedi bod i'w gais iddi beidio â dweud dim wrth ei mam. Cofiai am yr heddlu ar y platfform yng Nghaerdydd: pe bai'r rheiny wedi'u dal, byddai ei fam, a mam Lara, wedi marw bellach fwy na thebyg.

'Ie wir,' meddai Mrs Drws-nesa y tu ôl iddi.

Beth oedd hon eisiau nawr? Doedd dim llonydd i fod yn deulu heb hon yn busnesa. Dim ond dwyawr oedd ers iddyn nhw gyrraedd adre, a phawb wedi ymlâdd ar ôl treulio oriau bwygilydd yn adrodd eu hanes wrth yr heddlu.

Roedd Jeremy wedi cael ei gario allan ar stretsier, yn dal yn anymwybodol, ond yn fyw. Doedd Ari ddim yn hollol siŵr oedd e'n falch o glywed y dôi dros yr anaf a gafodd gan y pendil ai peidio. Roedd darn bach anghyfarwydd iawn ohono yn dal i ddyheu am weld Jeremy'n cadw cwmni i'r mwydod yn y pridd.

Mags oedd wedi'i ddarbwyllo i wrando ar reswm. Hi, yn y diwedd, oedd wedi cadw'n gall, ac wedi rhesymu nad oedd Jeremy'n farw ddim iot yn well na Jeremy'n fyw, a bod pob cythraul yn haeddu cael byw. Mags oedd wedi'i argyhoeddi fod popeth ar ben, mai dim ond dod drosti gyda'i gilydd oedd ganddyn nhw nawr, fod Mam adre gyda nhw, a phob argoel y byddai dros wythnos heb allu yfed alcohol wedi gwneud lles iddi: mewn ffordd wyrdroëdig, yr hyn roedd Mags yn ei ddweud wrtho oedd bod Jeremy wedi gwneud ffafr â Carys, â nhw i gyd.

Dros yr oriau nesa, daeth Ari i weld pa mor gall oedd ei chwaer fawr yn gallu bod. Yn wir, yn y diwedd un, roedd hi wedi bod yn llawer callach na fe.

Nawr, roedd bygythiad arall, bygythiad Mrs Drws-nesa, yn codi ei ben eto.

Ac wrth iddo feddwl am hynny, gwelodd Ari fod Lowri a'i mam wedi dod â chwmni gyda nhw i Goed Helyg. Drwy'r ffenest, gwelodd gar mawr gwyrdd yn stopio o flaen y tŷ, a dynes yn cario ffeil yn dod allan ohono. Doedd dim dwywaith mai yno i'w gyrru i wahanol gartrefi roedd hi, tra bod eu mam yn dod dros ei halcoholiaeth, os llwyddai wneud hynny byth.

Wedi'i holl ymdrechion, i'r un fan y daethon nhw yn y diwedd: câi'r pedwar eu gwahanu a'u danfon oddi yno, ymhell o Goed Helyg, ymhell oddi wrth eu mam, ymhell oddi wrth ei gilydd.

Edrychodd ar Lowri, heb allu dychwelyd ei gwên: 'O'dd raid i ti weud?'

'Gweud beth?' Roedd hi wedi cochi, a'i llais yn bradychu ei siom ynddo. 'Wedes i ddim gair. O'dd Mam yn becso amdanoch chi ac fe aeth hi at yr awdurdode, do, ond wedes i ddim byd. A dy fam ofynnodd i ni ddod draw... ni a Rhian.'

‘Rhian?’

‘Ffrind Mam.’ Amneidiodd at y drws, lle roedd y ddynes â’r ffeil wedi ymddangos. ‘Ffrind gwaith Mam.’

‘O’dd raid iddi stwffo’i thrwyn i fewn? ’Na i gyd mae dy fam yn gallu neud.’

Ar hynny, trodd Lowri a mynd allan. Gwelodd Ari hi’n cerdded heibio i’r ffenest, ’nôl i gyfeiriad drws nesa. Tybiodd ei fod e wedi’i brifo hi i’r byw. Ond doedd ganddo ddim rhithyn o ots. Roedd hi wedi ei fradychu.

Aeth drwodd i’r gegin, lle roedd ei fam yn eistedd wrth y ford gyferbyn â Mrs Drws-nesa, a Rhian wrth ei hochor. Doedd dim byd yn gwneud synnwyr.

‘Ble mae Lowri?’ holodd Mrs Drws-nesa wrth weld Ari’n dod i mewn.

‘A’th hi gatre,’ meddai Ari’n ddiflas. Gallai weld o’r ffordd gyfeillgar roedd ei fam yn arllwys cwpanaid o de o’r tebot i’r ddwy ddynes ei fod e wedi gwneud cam â’i ffrind gorau, a bod rhywfaint o leia o hyn wedi’i drefnu gan ei fam.

A nawr, roedd Mags hefyd yn ymuno â’r lleill rownd y ford, yn hapus braf, yn ôl yr olwg oedd arni, i sgwrsio’n gyfeillgar â’r bobol oedd yn mynd i’w gwahanu.

‘Diolch am achub bywyd Bwch,’ meddai Mags wrth Mrs Drws-nesa.

Roedden nhw wedi gweld fod yr afr yn holliach wrth gyrraedd y tŷ yn y car heddlu, gan ei bod hi bellach yn bwyta gwair yn hapus braf wrth ymyl cwt Soch, fel pe na bai hi erioed wedi bod ar wastad ei chefn ar ei gwely angau, fel oedd hi – faint oedd hi? – dridiau’n ôl.

'O'dd hynny ddim yn broblem,' meddai Mrs Drws-nesa, a golwg euog ar ei hwyneb. 'Ond ddylen i fod wedi gweld 'ych trwbwl chi, ddylen i fod wedi neud rwbeth amdano fe'n gynt.'

'Diolch i chi am ddod draw.' Dechreuodd ei fam siarad, gan wneud i rywbeth suddo ymhellach yn Ari: roedd Lowri'n dweud y gwir wedi'r cyfan. Ei fam oedd wedi trefnu hyn.

''Nes i ofyn i chi ddod achos bo fi moyn help. Ers blynydde, dw i ddim wedi bod yn dod i ben o gwbwl, ac mae'n bryd i fi neud rwbeth ambitu 'ny.'

Methodd Ari â dal: '*Ti* ofynnodd! *Ti* wedodd! "Addo i fi bo chi'n aros 'da'ch gilydd," 'na beth wedest ti! A nawr, ti'n mynd yn gwbwl groes i 'ny, ac yn ffarmo ni bant dy hunan! Shwt allet ti?'

Roedd y dagrau'n pigo'i lygaid wrth iddo ymladd brwydr fwya ei fywyd i'w cadw rhag brigo i'r wyneb. Edrychodd ei fam arno'n llawn syndod, a'r ddwy ddynes arall hefyd. Edrych ar ei chwpan de wnaeth Mags, yn union fel pe bai ganddi gywilydd o'i brawd.

'Pwy wedodd ddim byd am 'ych ffarmo chi bant?' meddai ei fam yn dawel.

'Hon! A honna!' amneidiodd Ari'n ffwr-bwt ar Mrs Drws-nesa a 'Rhian', fel y galwodd Lowri hi. 'Gwasanaethe cymdeithasol. Ti'n rhoi'r ffidil yn y to, ti'n gadael iddyn nhw ennill.'

'Do's neb yn mynd i unman,' meddai Mrs Drws-nesa gan wenu'n siwgraidd arno.

'Dim ffeit yw hi, Arwyn,' meddai ei fam wrtho'n

dawel eto. 'Sdim ennill a cholli. Ddim yn erbyn pobol allith helpu, ta beth.'

'Gei di help wrtho ni'n pedwar,' meddai Ari, yn llai tanllyd bellach.

'Caf. Ac wrtho Dilys. A Rhian.' Amneidiodd ei fam at y ddwy ddynes arall. 'Ma'n nhw'n mynd i gadw llygad arno fi, helpu lle mae angen, neud yn siŵr bo fi'n ffit i edrych ar 'ych hole chi.' Trodd oddi wrth y ford i'w wynebu'n llawn. 'Achos mae'n rhaid i ti gyfadde, 'nghariad i, sa i *wedi* bod yn ffit i neud.'

'Ti'n iawn nawr,' dadleuodd Ari'n ddistaw ac edrych ar ei ddwylo.

'Odw. A dw i'n mynd i neud popeth alla i i aros yn iawn,' meddai ei fam. 'Fydd Dilys 'ma i gadw llygad os yw pethe'n bygwth mynd yn drech na fi, 'na i gyd. 'Da bach o lwc, ewn nhw ddim. Dw i'n teimlo'n gryfach nag ydw i wedi'i neud erioed.'

Disgynnodd tawelwch dros bawb, rhyw dawelwch digon diflas ar y cyfan, er gwaetha'r penderfyniad yng ngeiriau ei fam.

Cododd Ari ar ei draed, wedi'i argyhoeddi bellach nad gelynion oedd yn eistedd o gwmpas y ford yng nghegin Coed Helyg, ond yn ymwybodol iawn hefyd ei fod e newydd wneud gelyn o'i ffrind gorau. Ac fel pe bai hi'n darllen ei feddwl, trodd Mrs Drws-nesa ato a gafael yn ei fraich:

'Fe gadwodd Lowri'r gyfrinach, cofia,' meddai gan wenu arno. 'O'n i'n flin 'da'i i ddechre, pan ddealles i gyment oedd hi'n wbod. Ond dw i'n gwbod 'fyd shwt gyment o ffrindie y'ch chi'ch dau.' Patiodd ei fraich. 'A sdim byd yn rhoi mwy o bleser i fi na gwbod shwt ffrindie da sy ganddi.'

Gollyngodd ei fraich, a daliodd Ari i sefyll ar ganol llawr y gegin heb syniad beth i'w wneud nesa.

Mrs Drws-nesa ddywedodd wrtho:

'Cer! Cer draw i weld lle aeth hi. Fydd hi ddim wedi mynd yn bell.'

A doedd hi ddim chwaith. Pan aeth Ari allan drwy ddrws ffrynt Coed Helyg, gwelodd fod Lowri wedi eistedd ar wal cwt Soch yn gwylio Bwch yn cnoi drwy hen deiar beic. Wrth ei glywed yn nesu, trodd ato, heb ei gwên arferol.

'Sdim hawl 'da ti feio fi,' dechreuodd, ond cododd Ari ei law i'w thawelu.

Eisteddodd wrth ei hochor, heb fentro'i chyffwrdd, cyn siarad. 'Ma flin 'da fi,' meddai, a gwybod wrth ei ddweud pa mor annigonol oedd e'n swnio.

'Dw i'n gwbod,' meddai Lowri. Yna, ar ôl saib: 'Ma dy fam yn ddewr.'

'Odi,' meddai Ari ar ôl eiliad neu ddwy, wrth sylweddoli pa mor wir oedd beth ddywedodd Lowri.

Pwy a ŵyr? Efallai *fod* pethau'n mynd i fod yn wahanol.

Llamodd rhyw gyffro yng nghalon Ari wrth feddwl am

y peth, a bu'n ymdrech iddo wthio'r teimlad o'r golwg eto.

Ond roedd cymaint wedi newid yn barod. Roedd y pump ohonyn nhw eisoes wedi addo mynd i lawr yn ystod gwyliau'r haf i weld Menna a Lara yn eu cartre newydd yn Abertawe, heb fod nepell o deulu chwaer Menna. Yno roedd y ddwy'n bwriadu ailddechrau byw.

Go brin y câi Jeremy ei draed yn rhydd am flynyddoedd lawer, ac erbyn hynny byddai llawer o'r briwiau a achosodd wedi hen ddechrau gwella.

Edrychodd eto ar Lowri, a gwenodd hithau arno. Meddyliodd Ari eto pa mor anwadal, pa mor ffaeledig oedd oedolion yn gallu bod. Anodd credu fod yna oedolyn call i'w gael yn unman, meddyliodd, sy'n fawr o gysur i fachgen tair ar ddeg oed sydd ar fin troi'n oedolyn ei hun.

Diolchodd fod ganddo ffrind mor dda yn Lowri. Daeth awydd arno i afael yn ei llaw, a'i thynnu ato i'w gwasgu yn ei freichiau.

Ond wnaeth e ddim.

'Ti moyn dod i whare gêm ar y cyfrifiadur?' holodd yn lle hynny.

Cyfres newydd sbon o nofelau i'w darllen yn y dosbarth, ac i fwynhau eu darllen yn annibynnol. Bydd y storïau cyffrous yn eich gyrru ymlaen o'r dudalen gyntaf nes yr olaf.

Llwyth gan Bethan Gwanas
Pedwar gan Lleucu Roberts
Rhaffu Celwyddau gan Gwenno Hughes

Hefyd i ddod yn y gyfres:
Hwdi gan Gareth F. Williams
Nico gan Leusa Fflur Llewelyn
Eilian a'r Eryr gan Euron Griffith

'Y llyfr gorau a ddarllenais i erioed'
Disgybl yn Ysgol Morgan Llwyd, Wrecsam am *Pedwar*

'Thema afaelgar a chymeriadau cryf'
Einir Jones o Ysgol Morgan Llwyd,
Wrecsam am *Rhaffu Celwyddau*

Cyfres i'r arddegau cynnar, 11–14 oed
Ar gael o www.ylolfa.com neu o'ch siop lyfrau leol

Hefyd yn y gyfres:

£4.95

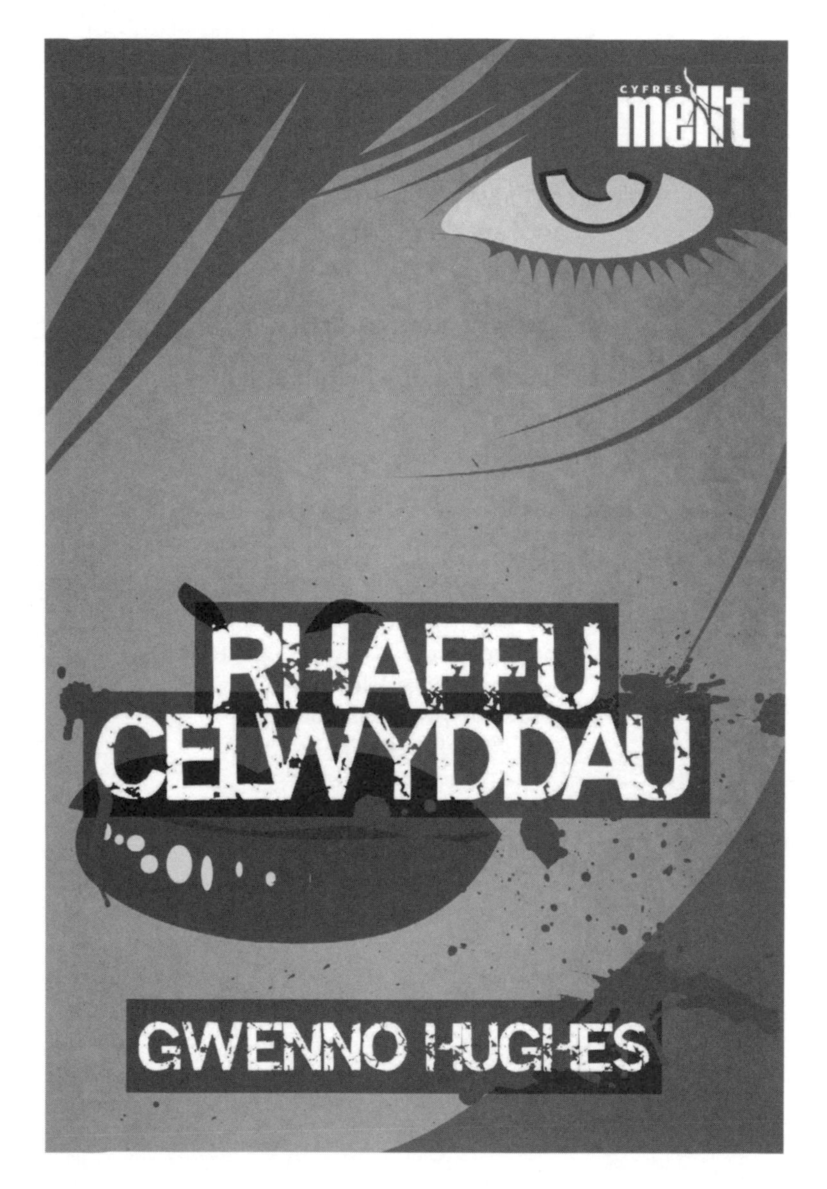

£4.95

Am restr gyflawn o lyfrau'r Lolfa, mynnwch
gopi am ddim o'n catalog
neu hwyliwch i mewn i'n gwefan

www.ylolfa.com

lle gallwch archebu llyfrau ar-lein.

y Lolfa

TALYBONT CEREDIGION CYMRU SY24 5HE
ebost ylolfa@ylolfa.com
gwefan www.ylolfa.com
ffôn 01970 832 304
ffacs 832 782